www.tredition.de

Birgit Beutel

Krebs für Anfänger

Ein Wegweiser von der Diagnose

bis nach der Reha

Das Buch

Eine Krebsdiagnose ist lebensverändernd - in alle Richtungen. Noch während der Diagnose-Schock verdaut wird, stehen schon die ersten Entscheidungen an. Bei dieser Achterbahn der Gefühle von Angst, Überforderung bis hin zur Fremdbestimmung geraten viele Betroffene und deren Angehörige an ihre Grenzen.

Während ihrer eigenen Krebstherapie erkennt die Autorin Birgit Beutel, dass es kaum klare, einfache und verständliche Ratgeber für den Dschungel der emotionalen und körperlichen Herausforderungen dieser Erkrankung gibt. Operation, Chemotherapie, Haarausfall und Bestrahlung sind die großen körperlichen Themen. Aber vor allem die emotionale Seite, insbesondere der Umgang mit Mitmenschen, ärztlichem Personal und vor allem mit sich selbst, kann zu einer anstrengenden Aufgabe werden.

Von der Diagnose bis zur Reha gibt es in diesem Buch praktische Empfehlungen für einen mutigen und selbstbestimmten Umgang mit dem Krebs und wertvolle Hinweise zur Gestaltung des eigenen Therapiewegs.

Einfühlsam und offen teilt Birgit Beutel ihr Wissen zu gängigen Therapieformen, alternativen Ansätzen und vor allem auch darüber, welche Auswirkungen die eigenen Gedanken auf den Körper haben können. Hierzu gibt es praktische Infos und inspirierende Denkanstöße.

Authentisch, humorvoll und ohne zu beschönigen – eine unverzichtbare Lektüre mit wertvollen Tipps und Aha-Effekten sowohl für Betroffene als auch Angehörige.

Die Autorin

Birgit Beutel ist selbstständige Unternehmensberaterin, Managementtrainerin, Moderatorin und Coach. Seit über 20 Jahren berät sie Unternehmen in den Bereichen Kommunikation und Führung. Ihre Schwerpunkte liegen auf der Moderation von Klein- und Großgruppen, dem Führungskräftecoaching und der Konfliktmoderation. Zudem unterstützt sie Organisationen und Kommunen in Entwicklungsprozessen.

Im Jahr 2016 wird sie mit der Diagnose Brustkrebs konfrontiert. Ihr pragmatischer Zugang und ihre hohe Problemlösungskompetenz helfen ihr, während der zehnmonatigen Therapie fokussiert und klar zu bleiben. Dank ihres Ausbildungshintergrundes in den Bereichen systemische Beratung, wingwave®-Coaching und NLP erkennt sie rasch, dass der Schlüssel zur Heilung unter anderem in der Selbstverantwortung liegt. Das Wissen, das sie in dieser Zeit über die Krankheit, mögliche Therapieformen und die eigene Gedankenkraft sammelt, dokumentiert sie zunächst für sich selbst, bald aber auch, um es später in Buchform anderen Betroffenen zugänglich machen zu können. Heute ist sie vollständig genesen und begleitet zusätzlich zu ihrer Tätigkeit als Unternehmensberaterin auch Menschen in allgemeinen Veränderungssituationen und insbesondere im Hinblick auf die Herausforderungen, die mit einer Krebsdiagnose einhergehen.

Birgit Beutel lebt in Fulda, ist verheiratet und hat einen erwachsenen Sohn. Mehr über die Autorin erfahren Sie auf ihrer Webseite https://www.beutel-berater.de

Haftungshinweis

Dieses Buch, inklusive aller Inhalte, wurde unter größter Sorgfalt erarbeitet. Es kann und will professionellen, ärztlichen Rat keinesfalls ersetzen. Es dient ausschließlich der Begleitung und der Anregung. Die Ratschläge in diesem Buch sind sorgfältig erwogen und geprüft. Sie bieten jedoch keinen Ersatz für kompetenten medizinischen Rat. Alle Angaben in diesem Buch erfolgen daher ohne Gewährleistung oder Garantie seitens der Autorin oder des Verlages. Eine Haftung der Autorin bzw. des Verlages und seiner Beauftragten für Personen-, Sach-und Vermögensschäden ist daher ausgeschlossen. Der Verlag und auch die Autorin übernehmen keine Haftung für die Aktualität, Richtigkeit und Vollständigkeit der Inhalte des Buches, ebenso nicht für Druckfehler. Für die Inhalte von den in diesem Buch abgedruckten Internetseiten sind ausschließlich die Betreiber der jeweiligen Internetseiten verantwortlich. Der Verlag und die Autorin haben keinen Einfluss auf Gestaltung und Inhalte fremder Internetseiten. Verlag und Autorin distanzieren sich daher von allen fremden Inhalten. Zum Zeitpunkt der Verwendung waren keinerlei illegale Inhalte auf den Webseiten vorhanden.

Verlag und Druck:
tredition GmbH, Halenreie 40-44, 22359 Hamburg

Paperback: 978-3-347-06234-4
E-Book: 978-3-347-06236-8
Hardcover: 978-3-347-14523-8

Inhalt

Vorwort

Wer dieses Buch in der Hand hält, ist irgendwie betroffen. Entweder selbst oder im Mitgefühl mit einem nahestehenden Menschen. Diese Situation wird Verbindungen schaffen und Nähe zu anderen herstellen, denn alle sitzen im gleichen Boot. Daher schreibe ich in der persönlichen „Du-Anrede" statt in der distanzierten „Sie-Anrede". Ich setze dabei auf **dein** Verständnis.

Bewusst habe ich das Buch klein, überschaubar und strukturiert verfasst. Mit dem Schock der Diagnose ist es fast unmöglich, konzentriert dicke Fachbücher zu lesen.

Dieses Buch setzt sich zusammen aus persönlichen Erfahrungen, Anregungen, ärztlichen und therapeutischen Erläuterungen sowohl aus dem Bereich der Schulmedizin als auch der Naturheilkunde und Ermutigungen durch spirituelle Menschen. Dich erwarten weder Seelenstriptease noch Therapieanleitung. Dieses Buch kann für dich ein Wegweiser sein durch eine Zeit, die ungeahnte Herausforderungen an dich stellt und in der du emotional Achterbahn fahren wirst. Daher auch das Symbol des Leuchtturms. Ein Leuchtturm dient der Orientierung, zeigt den Weg und weist auf Gefahren hin.

Ich erhebe keinen Anspruch auf Vollständigkeit allen Wissens, das bereits in vielfältiger Literatur beschrieben wurde und auch keinen Anspruch auf wissenschaftlich bewiesene Wirksamkeit durch randomisierte Studien. Ich schreibe von dem, was bei mir selbst und bei den Menschen wirkte, mit denen ich zu diesen Themen im Austausch war. Zudem schöpfe ich aus dem Erfahrungsschatz anderer Betroffener, die ihre Geschichte veröffentlicht haben. Du kannst das Buch querlesen und einfach dort beginnen, wo du besonderes Interesse verspürst, oder bei dem, was thematisch bei dir gerade dran ist. Am Ende jedes Kapitels gibt es ein optisch hervorgehobenes Leuchtturm-Feld, das die wesentlichen Infos des Kapitels enthält.

Ich wünsche dir, dass es für dich oder für deinen nahestehenden Menschen ein wertvoller Wegbegleiter wird.

1.
Aus allen Wolken gefallen – die Diagnose

Bis eben war die Welt noch in Ordnung und jetzt befindest du dich im freien Fall. Nicht im Vergnügungspark, sondern in der Arztpraxis oder der Klinik.

„Sie haben Krebs!" – so oder in ähnlichem Wortlaut erfährst du das, was dein Leben erst einmal entgleisen lässt. Deine Zeitrechnung fängt bei null an, du verlierst den Boden unter den Füßen. In deinem Kopf hallt das Wort „Krebs" und du glaubst der Tod klopft an deine Tür. Schlimmstenfalls sitzt du auch noch alleine da und versuchst, das Unbegreifliche für dich begreiflich zu machen. Jetzt übernimmt dein innerer Autopilot die Steuerung, der Verstand macht erstmal Pause. Die einen werden sprachlos, die anderen weinen, wieder andere reden ohne Punkt und Komma und wollen alles erläutert bekommen. Du kannst deine spontane Reaktion nicht willentlich beeinflussen, aber alles, was danach kommt.

Die ersten Sätze beim Verkünden der ärztlichen Diagnose brennen sich in dein Gehirn wie ein Virus am PC. Noch Jahre später wirst du dich vermutlich an diese Situation erinnern können. In meinem Fall war es die Aussage der Ärztin: „Da haben Sie im Regal gleich ganz nach oben gegriffen!"

Nach diesen ersten Worten folgt meistens sofort die Aufklärung, welche Therapie empfohlen wird und wie es jetzt weitergeht. Die ärztlichen Empfehlungen stützen sich in der Regel auf die Leitlinien der Deutschen Krebsgesellschaft. Leider können die Informationen nicht immer sofort in deinem Bewusstsein ankommen und verarbeitet werden, denn der

Schockzustand verhindert das Denken und Begreifen. Daher kommt auch das Wort „Schockstarre". Der Schock der Diagnose, zu der erfahrungsgemäß die Prognose gleich noch dazu gepackt wird, braucht Zeit, um „verdaut" zu werden. Das dauert bei manchen wenige Tage, bei anderen Wochen. Es gibt aber leider keine Abkürzung durch das Tal der Tränen. Diese emotional anstrengende Zeit legt den Grundstein für das Abenteuer, das vor dir liegt. Denn nur das Annehmen der Tatsachen hilft dir, die Verantwortung für dich, deine Therapie und nicht zuletzt für dein Leben zu übernehmen. Es ist mittlerweile in Studien belegt, dass es jenen, die ihre Therapie gemeinsam mit den Ärztinnen und Ärzten steuern, besser geht als jenen, die das nicht tun und die Verantwortung für alles vollständig an das behandelnde Fachpersonal abgeben. Warum das so ist, liegt einerseits an der inneren Einstellung, aber auch an der besseren Informiertheit. Mit diesen Themen setzen wir uns später ausführlicher auseinander.

Wie gehe ich nun mit der Diagnose um?

Unser innerer Autopilot steuert nicht nur unsere Reaktion, sondern auch unsere Kommunikation. Es gibt Menschen, die wollen über alles reden, andere machen alles lieber mit sich aus. Einige Betroffene berichten freizügig über ihre Erkrankung, nutzen dafür vielfältige Kommunikationskanäle und informieren damit alle. Andere verordnen sich und anderen Mitwissenden Stillschweigen. Jede Form des Umgangs mit der Diagnose hat ihren Grund und hat damit auch ihre ganz eigene Berechtigung. Schwieriger ist es für Angehörige und Mitmenschen, denn sie wissen häufig nicht, wie sie sich verhalten sollen. Daher ist es wichtig, ihnen zu sagen, was du jetzt gerade brauchst. Jemanden zum Schweigen oder zum Reden, Nähe oder Distanz, Ruhe oder Aktionismus, Ermutigung oder Mitleid, Mitgefühl oder kühlen Kopf. Wie dem auch sei – spüre deine Bedürfnisse und teile sie mit!

Vier Ohren hören mehr als zwei

Vielleicht warst du allein bei der Verkündung der Diagnose und stellst dann fest, dass du dich an vieles nicht mehr konkret erinnern kannst. Das ist eine Folge des Schockzustands, der das Gehirn sozusagen auf den Notbetrieb schaltet. Auch in den nun folgenden ärztlichen Gesprächen kann es immer wieder passieren, dass aufgrund der Fülle der Informationen – kombiniert mit dem emotionalen Ausnahmezustand – Wichtiges verloren geht bzw. vergessen wird. Beim Rausgehen oder zuhause fragst du dich dann: Wie war das nochmal? Daraus resultiert die Empfehlung, wenn möglich nicht allein zu diesen Gesprächen zu gehen. Vier Ohren hören mehr als zwei Ohren und deine Begleitung kann dir als Backup dienen.

Es gibt keine dummen Fragen

„Wieso, weshalb warum, wer nicht fragt, bleibt dumm." Sesamstraße für medizinische Laien.

Traue dich zu fragen! Frage nach den Fremd- und Fachwörtern, die du nicht verstehst, es erspart dir das Googeln und holt dich aus der unsicheren Position des Nichtwissens heraus. Frage nach deinen Möglichkeiten und Alternativen. Frage auch nach deiner Prognose, denn das ist eine wichtige Information für alles, was jetzt kommt. Traue dich, ein Gespräch abzubrechen und um einen neuen Termin zu bitten, wenn dir alles zu viel wird. Wage auch ein „Nein", wenn es dir besser als ein „Ja" erscheint. Sei mutig und bitte um Bedenkzeit, wenn du sie brauchst.

Die Prognose = Statistik

Überlebensraten sind statistisch berechnete Prozentzahlen, die viel Verwirrung stiften können. Sie werden für jede Krebserkrankung berechnet und geben darüber Auskunft, welcher

Prozentsatz einer Gruppe, die an einer bestimmten Krankheit leidet, nach Ablauf von fünf Jahren noch lebt. Anhand dieser statistischen Zahlen wird der Prognosewert ermittelt. Diese Zahl ist zunächst nur eine Zahl! Unzählige Beispiele zeigen, dass Menschen mit schlechter Prognose oft deutlich länger leben, als vorausgesagt. Umgekehrt sterben manche auch früher, obwohl sie eine gute Prognose haben.

Lasse dich daher nicht von der statistischen Zahl einschüchtern und entmutigen. Versuche positiv deinen Therapieweg zu gehen und glaube an deine eigene Kraft. Leichter gesagt, als getan, das weiß ich aus eigener Erfahrung. Zu einem späteren Zeitpunkt werden wir uns mit den Auswirkungen negativer Gedanken beschäftigen und wie wir diesen entgegentreten können.

Den Schock „wegwinken"!

Es gibt eine Methode, die aus der Traumatherapie kommt und im professionellen Coaching eingesetzt wird. Sie heißt wingwave®[1] und ist eine Kurzzeit-Coaching-Methode, die auf neuesten Erkenntnissen der Gehirnforschung basiert. Das wirksame Emotions- und Leistungscoaching führt rasch und spürbar zum Abbau von Stress und zur Steigerung von Kreativität und Leistungsfähigkeit.

Der Diagnose-Schock kann dazu führen, dass die Emotionen und Gefühle dich noch lange belasten. EMDR, ein Bestandteil des wingwave-Coachings, ist eine anerkannte Trauma-Behandlungsmethode, mit der du Bilder, Gefühle und Körperstress voneinander entkoppeln kannst und somit den Erinnerungsstress neutralisierst. Ich habe auch damit gearbeitet, persönlich und in meiner Arbeitswelt.

- Geplante ärztliche Besprechungstermine, wenn möglich, nicht alleine führen.
- Versuche nicht, tapferer zu sein, als du bist.
- Nimm nur so viele Informationen aus dem ersten Gespräch mit, wie du vertragen kannst.
- Die Diagnose ist Realität, die Prognose nur eine statistische Zahl, vergiss das nie!
- Nimm dir die Zeit, die du brauchst, um die Diagnose zu verkraften.
- Jetzt geht's nur um dich! Du brauchst dich nicht für andere zu „verbiegen".
- Traue dich „nein" oder „stopp" zu sagen, wenn jemand versucht, dich zu schnellen Entscheidungen zu drängen.
- Es gibt keine dummen Fragen! Stelle alle, die du jetzt hast.
- Lasse dir Fremd- und Fachwörter in deiner Diagnose erklären, das erspart dir, sie googeln zu müssen.
- Befreie dich vom Diagnose-Schock, z. B. mit der Methode wingwave® oder anderen Therapieformen (Gespräche, Hypnose, Energiearbeit etc.).

2.
Der Ärztemarathon beginnt –
gut vorbereitet sein

„So schnell schießen die Preußen nicht", dieser Ausspruch Bismarcks gilt immer noch.

Welche Therapie in welchem Krankenhaus?

Sofern keine akute Lebensgefahr droht, können Therapieentscheidungen und die Krankenhauswahl auch einige Tage warten. Zudem gibt es die Möglichkeit der Zweitmeinung, im Fachjargon „Second Opinion". Gesetzlich Versicherte haben einen Anspruch, bei Privatversicherten ist dies aus dem Versicherungsvertrag zu entnehmen. Allerdings lohnt es sich immer, vorab die Krankenkasse zu informieren, um zum Schluss nicht auf zusätzlichen Behandlungskosten sitzen zu bleiben. Die Zweitmeinung gibt dir das Gefühl, dass du die bestmögliche Therapie bekommst und das ist extrem wichtig. Der Glaube an die richtige Therapie weckt die Selbstheilungskräfte in dir, gibt dir Zuversicht und die Überzeugung, dass alles seinen richtigen Weg geht.

Genauso wichtig wie die Entscheidung zu medizinischen Therapien ist die Entscheidung für das Krankenhaus oder die Praxis, in der du die Therapie durchführen lässt. Schaue dir die Einrichtungen vorher an, lasse dir die entsprechenden Abteilungen oder Stationen zeigen und spüre in dich hinein, wo du dich gut aufgehoben fühlst. Wo bist du Mensch und nicht nur eine Nummer? Wie ist das Drumherum? Wie sympathisch ist dir das medizinische Personal und wie engagiert erlebst du sie? Sehen die Ärztinnen und Ärzte dich als Mensch hinter der

Diagnose und haben auch ein persönliches Wort im Angebot? Suche dir diejenigen aus, zu denen du Vertrauen hast, die deine Wünsche und Entscheidungen respektieren.

Die nächste Frage ist: Wie kannst du die Behandlung, die unter Umständen länger dauert, in dein Leben integrieren? Dinge, die am Anfang noch nebensächlich erscheinen, können irgendwann zur Belastung werden. Wenn z. B. das Krankenhaus sehr weit entfernt ist, musst du lange Wegstrecken zurücklegen, die anstrengend werden können. Zudem sind kurzfristige Termine weniger spontan möglich. Es gilt abzuwägen, ob die große, anonyme Spezialklinik in der Ferne oder die kleine, persönliche Klinik mit kompetentem Fachpersonal in der Nähe für dich das Beste ist. Für mich war die Entscheidung gegen das spezialisierte Zentrum die richtige. Meine Wahl fiel auf das kleinere Krankenhaus, wo für mich die „Chemie" zu den Ärztinnen und Ärzten stimmte und ich die gleiche Therapie erhielt. Allerdings in schönerer Umgebung mit weniger Hektik und Menschen, die sich zwischen den Therapien an meinen Namen erinnern konnten.

Wie erlange ich selbst Expertise über meine Erkrankung?

Das Allerwichtigste ist zunächst, dass du lernst, deine Krankheit zu verstehen. Deine erste Anlaufstelle sind die Ärztinnen und Ärzte, die dich behandeln. Lasse dir deine Befunde und auch mögliche Therapieoptionen genau erklären. In Deutschland gibt es verbindliche Leitlinien zu jeder Erkrankung, die regelmäßig angepasst und aktualisiert werden. Da die Kliniken unterschiedliche Schwerpunkte haben, kann es durchaus auch unterschiedliche Empfehlungen geben. Daher ist die Zweitmeinung wichtig.

Darüber hinaus gibt es mittlerweile einige Kliniken die „Integrative Onkologie" anbieten. In der Integrativen Onkologie werden konventionelle Verfahren mit Naturheilkunde kombiniert (Komplementäre Medizin). Berühmt dafür sind die Mayo-Klinik oder das Memorial Sloan-Kettering Cancer Center in den USA. In Deutschland gibt es seit 2010 an den Evang. Kliniken Essen-Mitte eine Abteilung für Integrative Medizin, in der auch das „Essener Modell" zum Einsatz kommt[2]. Auch andere Kliniken in Deutschland, wie z.B. die Frauenklinik der Unimedizin Mainz bieten inzwischen Integrative Onkologie an[3].

Lerne deine Laborwerte zu verstehen!

Welcher Wert sagt was aus, wann ist er gut, wann schlecht? Welche Werte müssen während deiner Therapie laufend kontrolliert werden? Wie werden sie bewertet? Welche Zusammenhänge sind wichtig?

Ein Beispiel aus eigener Erfahrung: Während der Chemotherapie wird regelmäßig u.a. die Anzahl der Leukozyten (weiße Blutkörperchen) bestimmt. Diese sind für deine Immunabwehr verantwortlich. Wenn sie zu niedrig sind, wird die Chemotherapie verschoben. Lasse dir erklären, was die Werte bedeuten und schreibe sie dir in deinem Tagebuch auf. Du bekommst wahrscheinlich den Rat, während der Chemotherapie größere Menschenmengen zu meiden, um dich keinem Risiko auszusetzen. Das ist wichtig und richtig. Allerdings schwanken die Werte und in „guten Zeiten" könntest du sehr wohl mal zu den Nachbarn, zum Geburtstagskaffee oder zum Abendessen bei Freunden gehen. Wenn du jedoch deine Werte nicht kennst, da sie nach der hausärztlichen Untersuchung direkt in die Klinik geschickt werden, hast du keine Möglichkeit zu entscheiden, wie dein Status im Moment ist und was für dich gut ist oder auch nicht. Das hatte bei meinen uninformierten Mitpatientinnen und - patienten die Konsequenz, dass sie wochenlang nicht aus dem Haus gingen. Und dann hast du nämlich ein neues Problem: Du fühlst dich ausgeschlossen und einsam.

Um dich nicht unnötig zu belasten und gut informiert zu sein, lasse dir alle Laborparameter erklären und bitte um Kopien für deinen Therapieordner, auf den ich gleich noch eingehen werde.

Wie informiere ich mich über das ärztliche Beratungsgespräch hinaus?

Nutze die Erfahrungen anderer, denn du bist nicht allein! Es gibt vielleicht auch in deinem Umfeld Menschen, die in einer vergleichbaren Situation waren. Und gerade diese Menschen wissen am besten, wie du dich jetzt fühlst. Es ist ungemein hilfreich, sich mit ehemaligen Betroffenen oder bereits in der Therapie befindlichen Menschen auszutauschen. Einerseits, weil es die Hoffnung stärkt, dass alles, was auf dich zukommt, zu schaffen ist und andererseits erschließen dir diese Erfahrungen eine andere Sichtweise, nämlich die der behandelten Person. In menschlichen und verständlichen Worten ganz nahe an der Lebensrealität. Das ist genau das, was so manche ärztlichen Aussagen vermissen lassen.

Ebenso hilfreich ist der Kontakt zu professionellen Organisationen. Vielleicht gibt es eine Selbsthilfegruppe in deiner Stadt oder eine psychosoziale Krebsberatungsstelle, die kostenfreie Beratungen anbieten. Alle über die ärztlichen Empfehlungen hinausgehenden Informationen helfen dir, deinen vor dir liegenden Therapieweg besser zu verstehen und damit deine eigenen, wohl überlegten Entscheidungen zu treffen.

Informationsquellen im Internet gibt es viele, nicht jede ist nützlich. Bei „Dr. Google" ist die Gefahr groß, sich im Web zu verirren und auf Seiten zu gelangen, die eher kontraproduktiv sind, Horrorszenarien in deinem Kopf entzünden und möglicherweise sogar falsche Informationen liefern. Besser ist es, auf wissenschaftlich fundierte Seiten zu gehen und sich dort Informationen einzuholen, wie z. B. beim Krebsinformationsdienst des Deutschen Krebsforschungszentrums[4] oder bei der Deutschen Krebsgesellschaft[5]. Im Anhang findest du einige Links dazu.

Eine Alternative für diejenigen, die der Komplementärmedizin gegenüber offen sind, ist die Deutsche Gesellschaft für Biologische Krebsabwehr (GfBK)[6]. Sie ist die zentrale Anlaufstelle für Erkrankte, Angehörige und Behandlende, um sich unabhängig und gründlich über die Möglichkeiten und Grenzen von Schul- und Komplementärmedizin zu informieren. Für spezielle medizinische Fragen gibt es einen kostenfreien ärztlichen Beratungsdienst, der sowohl vor Ort als auch bundesweit telefonisch unterstützt. Die GfBK versteht sich als Wegbereiter für eine moderne Krebsmedizin, in der biologische Maßnahmen schulmedizinische Verfahren sinnvoll ergänzen. Diese Gesellschaft veranstaltet alle zwei Jahre einen Kongress, den ich für sehr inspirierend und informativ halte. Ich selbst habe ihn während meiner Therapie besucht und war sehr beeindruckt von den vielen Möglichkeiten der fachlichen, ärztlichen und nichtärztlichen Beratungen und den wirklich spannenden, auch für Laien durchaus verständlichen Vorträgen und Workshops.

Diejenigen, für die es während des Schocks der Diagnose nicht möglich ist, die nötigen Informationen einzuholen, möchte ich ermutigen, Unterstützung zu suchen. Traut euch zu fragen! Es ist kein Zeichen von Schwäche oder Inkompetenz, eine vertraute Person mit der Recherche zu beauftragen, sondern nur der erste Schritt in die Selbstfürsorge. Zu erkennen, was gerade geht und was nicht, ist ein wichtiger Baustein auf deinem Genesungsweg.

Wenn du dich ausreichend informiert hast, dann starte deinen Therapieweg und vertraue deinem Entschluss.

Wie schaffe ich es den Überblick zu behalten?

Alles aufschreiben! Lege dir ein Therapietagebuch und einen Therapieordner an. Im Therapieordner sammelst du alle Befunde und Kopien davon, CDs von Untersuchungen, Korrespondenzen mit der Krankenkasse usw. Ein Tipp vorweg: Bitte das medizinische Personal um Kopien deiner Befunde oder die Übermittlung der Befunde per E-Mail. Du brauchst immer mal wieder Kopien zum Versenden.

Dein Therapietagebuch ist mehr als der Ordner im Schrank zuhause. Es ist ein „Arbeitsheft", in dem du alle deine Fragen aufschreibst (und dann auch die Antworten), deine wichtigen und aktuellen Laborbefunde notierst und das du immer bei dir trägst. So kannst du Gedanken und Fragen sichern, die du sonst möglicherweise bis zum nächsten Beratungstermin vergessen hättest. Du kannst damit auch nachverfolgen, wann du wo warst und mit wem du was besprochen hast. Obwohl ich mich als sehr strukturierte und ordentliche Frau bezeichnen würde, habe ich irgendwann nicht mehr gewusst, wann genau ich wo war und was ich von wem gehört hatte. Erst viel später kam ich auf die Idee, ein Therapietagebuch zu führen. Bis dahin nutzte ich ein Sammelsurium an Zetteln, Handynotizen, Fotos etc. Die Befunde und CDs im Original waren natürlich ordentlich abgeheftet, den Ordner hatte ich nur nie dabei. Das Tagebuch kannst du in einem Heft oder online führen. Ich entschied mich für die Online-Variante mittels „OneNote" [7]. Meine Begeisterung für diese Anwendung, die es als kostenfreie App und als PC-Programm gibt, besteht bis heute und ich entnehme daraus viele wertvolle Notizen für dieses Buch. Mit dieser Funktion kannst du dein Tagebuch am Handy oder PC online führen. In den vielen Stunden des Wartens auf Behandlungen und ärztliche Gespräche oder während Therapien ist die App am Handy sehr geeignet.

- Nimm dir Zeit für deine Entscheidung, sofern keine akute Lebensgefahr besteht.
- Hole dir eine Zweitmeinung ein („Second Opinion").
- Ist das medizinische Fachpersonal das richtige für dich? Vor allem auch menschlich, nicht nur fachlich!
- Entscheide dich für die Klinik/Praxis, in der du dich aufgehoben und respektiert fühlst.
- Informiere dich gut, auch auf geeigneten Webseiten und bei anderen Betroffenen (Selbsthilfegruppen).
- Lasse dir die Bedeutung deiner Laborwerte erklären und schreibe sie dir auf.
- Lege einen Therapieordner für alle Befunde, CDs etc. an.
- Lasse dir Kopien anfertigen, das erspart dir den Copy-Shop.
- Führe ein Therapietagebuch, das du immer bei dir trägst und in dem du alles aufschreibst (Fragen, Antworten, Termine, ...).
- „OneNote" ist eine prima kostenfreie Funktion am Handy und PC als Alternative oder Ergänzung zum Therapietagebuch.
- Behalte die Verantwortung für deine Therapie in deinen eigenen Händen.

3.
Körper und Geist –
wer hat das Sagen?

Dein Körper besteht aus 100 Billionen Zellen. Würde man sie nebeneinanderlegen, reichten sie 2,5 Million Kilometer weit oder 60 Mal um die Erde. Von diesen 100 Billionen Zellen deines Körpers funktioniert nur ein Bruchteil nicht ordnungsgemäß. Alle anderen verrichten brav ihren Dienst. Aber deine ganze Konzentration liegt auf diesem Bruchteil, er bekommt deine ganze Gedankenenergie. Vielleicht hast du schon einmal bemerkt, wie sehr wir mit unserem Geist unseren Körper beeinflussen können.

Ein gutes Beispiel dafür ist folgender Test:

Stelle dir vor, du bist an einem Marktstand, vor dir sonnengelbe Zitronen. Der Verkäufer nimmt eine, schneidet sie auf und reicht sie dir. Wenn du zu jenen gehörst, die Zitronen mögen, stelle dir vor, wie du voller Freude hineinbeißt und die Frische des Zitronengeschmacks genießt. Vielleicht fällt dir auf, dass die Vorstellung allein ausreicht, um deine Speicheldrüsen im Mund zu aktivieren. Du erkennst das an deinem zunehmenden Speichelfluss. Sicherlich hast du dieses Phänomen auch bereits bemerkt, wenn du gutes Essen riechst. Auch wenn du zu jenen gehörst, die das Gesicht bereits beim Gedanken an eine Zitrone verziehen, hast du soeben gerade ein wunderbares Beispiel dafür bekommen, wie sehr dein Geist dich beeinflussen kann.

Wenn also die Vorstellung ausreicht, um körperliche Reaktionen zu bekommen, dann können wir unsere Vorstellungskraft auch für unsere Therapie nutzen.

Kennst du den Placebo-Effekt?

In der Medizin beschreibt der Placebo Effekt das Auftreten einer therapeutischen Wirkung nach der Gabe von Scheinmedikamenten. Das heißt, wenn ich glaube, dass mir eine Therapie hilft, dann wirkt dieses Wissen auf körperlicher und geistiger Ebene und trägt zur Heilung bei.

Es gibt auch den Nocebo-Effekt.

In der Medizin beschreibt der Nocebo-Effekt eine scheinbar negative Wirkung durch ein Arzneimittel oder andere äußere Einflüsse. Das heißt, was ich durch negative gedankliche Erwartungen auslöse oder erwarte, passiert dann auch auf körperlicher und geistiger Ebene.

Wenn also bei der Verkündung der ärztlichen Diagnose auch gleich eine Prognose abgegeben wird, kann sich das auf deinen Heilungserfolg auswirken. Und zwar in jede Richtung! Hörst du zusammen mit der Diagnose positive Aussagen wie z. B. „Sie haben eine gute Chance, wieder gesund zu werden" oder „Wir haben gute Heilungschancen in der Therapie" oder wie bei mir „Ich hatte den gleichen Tumor wie Sie und sehen Sie, ich sitze heute Jahre später vor Ihnen", dann richtet sich dein Geist auf Genesung aus. Ich kann aus eigener Erfahrung sagen, dass dieser Satz mir in den dunklen Stunden oft das Licht am Ende des Tunnels gezeigt hat. Wenn du allerdings Pech hast und nur mit negativen Rückmeldungen konfrontiert wirst, kann sich das auf deiner inneren Festplatte eingraben und dein Denken bestimmen. Genau so lange, bis du dich entscheidest, es nicht mehr denken zu wollen. Unser Geist ist ein mächtiger Mitspieler in der ganzen Therapie und du kannst ihn für oder gegen dich nutzen. Und wenn ich Mitspieler sage, dann meine ich, dass das Training des Geistes ein Bestandteil der Therapie sein kann. Damit meine ich nicht „Geist-Wunder-heilung", wie du sie im Internet finden kannst, sondern deine eigene geistige Kraft.

Ein Onkologe sagte mir, dass er bei der gleichen Tumorhisto-logie nach den gleichen Leitlinien therapiert und dennoch schaffen es die einen und die anderen nicht. Niemand wisse genau, warum das so ist. Spätestens hier kommen auch Kriterien (z. B. dein Geist) ins Spiel, die nicht messbar sind. Wichtig ist daher, dass du auf deine Gedanken achtest! Zuerst kommt der Gedanke, dann folgt die Realität. Wenn ich also denke, dass mich die Nebenwirkungen kaum treffen, dann vergrößere ich die Chance, dass es so sein wird. Erwarte ich aber die volle Wucht der Nebenwirkungen ist die Chance groß, sie auch zu bekommen. Hier greift der Nocebo-Effekt.

Hierzu gibt es viele Studien. Eine dieser Studien untersuchte den Verlauf einer antihormonellen Therapie bei Brustkrebs-patientinnen nach ihrer Operation. Das Ergebnis: „Das Auftreten von Nebenwirkungen und die Lebensqualität der Patientinnen nach zwei Jahren unter dieser Therapie hängt davon ab, welche Erwartungen sie schon zu Beginn der The-rapie an die Therapie hatten".[8]

Was kann ich tun, um meine Gedanken zu beein-flussen?

Kliniken, die die sogenannte „Mind-Body-Medizin" unterstüt-zen (Grundgedanke der Mind-Body-Medizin ist, dass Bewusst-sein und Körper untrennbar miteinander verbunden sind und wechselseitig aufeinander einwirken), empfehlen u. a. die Simonton-Methode[9]. Sie beruht auf der Vorstellung, dass die Grundhaltung und innere Einstellung den Genesungsprozess beeinflussen können sowie auf der ganzheitlichen Auffas-sung, dass Körper, Geist und Emotionen untrennbar mitei-nander verbunden sind und als ein System funktionieren. Die

Simonton-Methode besteht aus geführten Phantasiereisen, bei denen Tumorpatientinnen und -patienten mit inneren Bildern gegen die Tumorzellen kämpfen und sie besiegen. Ich kann diese Methode sehr empfehlen.

Eine weitere Methode aus der Mind-Body-Medizin ist das sogenannte „Achtsamkeitstraining"[10] oder auch MBSR-Training genannt. Die Abkürzung steht für „Mindfulness Based Stress Reduction" (Stressreduktion durch Achtsamkeit). Das MBSR-Achtsamkeitstraining verbindet verschiedene Techniken des Yoga, der Meditation und ganz allgemein der Körperwahrnehmung miteinander. Du lernst dabei u. a. deine Gedanken zu kontrollieren und zu entspannen.

Darüber hinaus gibt es eine große Anzahl von kostenfreien und kostenpflichtigen Apps und Podcasts in den Bereichen Entspannung und Meditation. Die oben beschriebenen Methoden und andere Entspannungsmöglichkeiten sind extrem hilfreich, wenn das Gedankenkarussell anfängt, sich zu drehen. Das geschieht gerne nachts und raubt den Schlaf.

Was macht Spiritualität mit mir?

Zunächst bedeutet Spiritualität, dass ich die Existenz von Geistigem, nicht Sichtbarem als menschliches Grundbedürfnis annehme. Spiritualität kann ich als Ausdruck einer Religion leben oder als den Glauben an eine „höhere Macht". Auch nicht gläubige Menschen können in Ausnahmesituationen (in der du durch eine Krebs-Diagnose auf jeden Fall steckst) spirituell werden. Dabei spielt es keine Rolle, mit welcher Religion du vertraut bist oder welche du bisher praktiziert hast. Vielleicht verlierst du zunächst auch erst mal deinen Glauben, alles ist möglich.

Ich bin überzeugt – Spiritualität ist tröstlich. Der Glaube an eine „höhere Macht", der ich mich anvertrauen kann und die den „großen Plan" kennt, kann dir helfen, die wiederkehrende

„Warum-Frage" zu beantworten. Spiritualität hilft mit dem Wissen, dass es Dinge zwischen Himmel und Erde gibt, die wir nicht beeinflussen können. Vielleicht suchst du dir Menschen, die dich dabei unterstützen. Eine spirituelle Frau, mit der ich zu Beginn meiner Therapie Kontakt hatte, sagte mir, dass mein Tumor eine Botschaft hätte, die ich herausfinden solle. Offen gestanden hatte ich zunächst so meine Probleme mit dieser Aussage. Aber im Laufe der Zeit war es hilfreich, mich genau damit zu beschäftigen. Hierzu durchaus empfehlenswert ist die Lektüre „Krankheit als Weg – Deutung und Be-Deutung der Krankheitsbilder" von Rüdiger Dahlke und Thorwald Dethlefsen.[11]

Ein weiteres aus meiner Sicht lesenswertes Buch ist „Das Märchen vom Tod"[12] von Marie-Claire van der Bruggen. Auch hier hatte ich zunächst so meine Schwierigkeiten, denn wer vom Tod bedroht ist, liest nicht gerne Bücher über den Tod – und schon gar nicht ein Märchen! Es ist ein spirituelles Buch und erzählt die Geschichte einer kleinen Seele, die sich zum allerersten Mal auf die Reise zur Erde macht. Wie sieht das Leben auf der Erde durch die Augen einer Seele aus, wie erfährt sie es, und schließlich: Wie erlebt eine Seele den Tod beziehungsweise die Rückkehr nach Hause? Ich hatte genug Zeit zum Lesen und war dankbar über jeden Impuls, der mich auf andere Gedanken brachte.

Ich hatte in den ersten Tagen nach der Diagnose auch Kontakt zu einem Freund, der praktizierender Buddhist ist. Zu diesem Zeitpunkt hatte ich in meiner christlichen Tradition noch kein „Gebet" gefunden, das mir richtig schien. Mein Freund sendete mir sein gesungenes Mantra „Nam-Myoho-Renge-Kyo" (Titel des Lotos-Sutras)[13] als Sprachnachricht auf mein Handy. Und obwohl ich vorher mit dem Prinzip von „Shiki shin funi" (Untrennbarkeit von Körper und Geist) keinerlei Kontakt hatte, war es genau dieses Mantra, das mir in akuten Angstzuständen nach wenigen Minuten die Angst nahm. Es wurde zu meinem ständigen Begleiter und hat mir so manche Wartezeit vor einer Besprechung und viele Nächte erleichtert.

Meditation – oder einfach nur stillsitzen und nach innen lauschen

Viele verbinden Meditation mit östlichen Religionen und sitzen im Schneidersitz. Meditation ist auch, still zu beten, zu singen, in sich gekehrt zu sein oder einfach mit dem Fokus nach innen zu gehen. Meditieren kann jeder Mensch, zu jeder Zeit, an jedem Ort, alleine oder in Gemeinschaft, im Haus oder auch bei einem Spaziergang. Es lohnt sich, mit der Innenschau nach der Diagnose zu beginnen. Krankheit als Chance, diese Worte schmecken bitter, wenn man gerade der unbekümmerten Zukunft beraubt wird oder gar keine mehr in Aussicht hat. Aber hinzuschauen, welche Botschaft der Tumor in sich tragen könnte, lohnt sich. Nicht wenige Betroffene, inklusive mir, sagen nach einiger Zeit, dass es eine wichtige Zäsur im Leben war. Deswegen lege ich dir nahe, mach dich auf deine Entdeckungsreise zu dir, deinen Sehnsüchten, Wünschen und auch Verlorenem.

Hilfreich dabei sind geführte Meditationen, die es im Netz als freie Downloads gibt, käufliche CDs, Bücher, Podcasts etc. Ich habe mir CDs und Hörbücher über die Gesellschaft für Biologische Krebsabwehr gekauft. Das sind Benefizprodukte gegen Spende, die zum Teil von ehemals Betroffenen erstellt wurden.

Reiki – eine Form der Energiearbeit

Reiki ist laut Wörterbuch eine sehr alte japanische Heilkunst, die durch Händeauflegen versucht, die unerschöpfliche Lebensenergie des Universums für eine revitalisierende und heilende Wirkung auf Körper, Seele und Geist nutzbar zu

machen. Die Reiki-Kraft soll den natürlichen Selbstheilungs-
prozess unterstützen, ersetzt aber keine medizinische Be-
handlungsform. Auch Reiki kann man neben der Simonton-
und der MBSR-Methode zur Mind-Body-Medizin rechnen, da
auch hier das Wissen um die Geist-Körper-Beziehung die
Grundlage ist. Ich hatte durch „Zufall" eine Reiki-Meisterin in
meiner Nähe, mit der ich während der ganzen Therapie Kontakt hatte. Das Wissen, dass ich an die Lebensenergie des Universums angeschlossen war, half mir geistig zur Ruhe zu
kommen und das hatte natürlich auch positive körperliche
Auswirkungen.

Das aus meiner Sicht sehr lesenswerte Buch „Gemeinsam gegen Krebs: Naturheilkunde und Onkologie – Zwei Ärzte für
eine menschliche Medizin" von Prof. Dr. Gustav Dobos und Dr.
Sherko Kümmel[14] widmet ein ganzes Kapitel sehr ausführlich
der Mind-Body-Medizin mit weiteren Methoden, wie z. B. Meditation, autogenem Training, progressiver Muskelentspan-
nung und Ähnlichem.

Die Natur als Quelle von Vertrauen nutzen

Wer den Zugang zu „geistigen Methoden" für sich nicht finden
kann, findet möglicherweise in der Natur die eigene Vertrau-
ensquelle. Den Geist und die Gedanken auf die Kräfte der
Natur zu fokussieren, ist für manche die Alternative zur religi-
ösen Spiritualität. Das Betrachten der Tier- und Pflanzenwelt
vor Ort oder Dokumentationen aus aller Welt können ebenso
wie eine „wundersame Kraft" wirken. Abseits des Glaubens an
eine „höhere Macht" können auch physikalische Vorgänge –
im Sinn von Ursache und Wirkung – oder fantastische evoluti-
onäre Entwicklungen Vertrauen schenken. Zu erkennen, zu
was die Natur in der Lage ist, kann dir im Umkehrschluss die
Selbstheilungskraft deines eigenen Körpers verdeutlichen.
Viel Erfahrungswissen aus früheren Zeiten ist durch Laborwis-
senschaften schon verloren gegangen, vielleicht ist der Weg

der zuvor beschriebenen Integrativen Medizin eine sinnstiftende Ergänzung zur modernen Medizin.

Positive Erinnerungsspuren legen

Zum Schluss noch eine ganz einfache und zudem angenehme Möglichkeit positive Erinnerungsspuren zu legen, die die belastenden Erfahrungen etwas abmildern können.

Verbinde doch die Gesprächs- und Therapietermine mit etwas Angenehmen. Gehe zusammen mit deiner Begleitperson vorher oder nachher frühstücken oder zum Mittagessen. Gönne dir einen Spaziergang an einem schönen Ort, gehe in die Natur oder wahlweise shoppen oder mache etwas, das für dich im normalen Alltag außergewöhnlich angenehm zu tun ist. Damit speicherst du diese Termine auf deiner inneren Festplatte nicht nur im „Schlimm-Ordner".

Meine Diagnose erreichte mich mitten im stressigen Berufsleben. Daher war das Frühstück im Café während der Arbeitswoche für mich ein außergewöhnliches Erlebnis und ich staunte nicht schlecht, als ich bemerkte, wie voll die Cafés am Vormittag sind. Das war all die Jahre an mir vorüber gegangen. Heute denke ich gerne daran, wie viele schöne Stunden ich dort mit meinem Mann verbracht habe.

- Habe deinen ganzen Körper im Blick, nicht nur den Tumor.
- Dein Körper folgt deinem Geist (das Zitronen-Experiment).
- Placebo-Effekt nutzen – sorge für positive Gedanken, sie machen positive Gefühle.
- Nocebo-Effekt meiden – hüte dich vor negativen Aussagen, sie könnten wahr werden.
- Finde Kontakt zur „Mind-Body-Medizin" und deren Methoden.
- Simonton-Methode – über Phantasiereisen mit deinem Tumor Kontakt aufnehmen.
- Achtsamkeitstraining, Meditation und autogenes Training sind wertvolle Wegbegleiter, die dir die (Nacht-)Ruhe wiederbringen können und Angstwellen abfedern.
- Gönne dir schöne Erfahrungen in und mit der Natur.
- Vielleicht suchst du dir eine spirituelle Begleitung.
- Werde neugierig und offen für Dinge, die dir scheinbar zufällig begegnen.
- Lege schöne Erinnerungsspuren rund um deine Therapietermine.

4.
Die Kommunikationsfalle

Bei all den ärztlichen Gesprächen und mit medizinischem Personal kommt es immer wieder vor, dass Aussagen von uns völlig anders aufgenommen werden, als es beabsichtigt war. Wir hören das Wort „positiv" und denken, das heißt gut! Manchmal ist das jedoch ein Irrtum. Wir geben Wörtern eine Bedeutung, die wir gar nicht kennen und bringen uns entweder in die Verzweiflung oder zunächst in eine Hoffnung, die sich irgendwann in Luft auflöst. Folgendes Zitat, das Konrad Lorenz zugeschrieben wird, verdeutlicht das Dilemma in der Kommunikation zwischen medizinischem Fachpersonal und Laien sehr treffend: „Gehört ist noch nicht verstanden. Verstanden ist noch nicht einverstanden. Einverstanden ist noch nicht getan. Getan ist noch nicht beibehalten."

Dazu kommt noch erschwerend, dass unser Gesundheitssystem die in der Medizin Arbeitenden geradezu dazu zwingt, möglichst viele Menschen am Tag zu behandeln. Das geht zu Lasten von Zeit und manchmal auch Geduld. Diagnosen und Therapiepläne werden häufig unter Zeitdruck verkündet, weil die nächste Person bereits vor der Tür wartet. Wenn du Glück hast, wirst du von einer Ärztin oder einen Arzt behandelt, die oder der von Natur aus über ein gewisses Einfühlungsvermögen verfügt oder sich entsprechend fortgebildet hat. Wenn du Pech hast, erwischst du jemanden, der oder die leitlinienkonform alles erledigt und dich in deiner Not nicht sieht. Diese Gespräche beinhalten Floskeln, die du als solche sofort erkennst, und enden dann häufig mit: „Mehr kann ich im Moment nicht für Sie tun." Das alles noch an einem ungeeigneten Ort, zack-zack und mit vielen medizinischen Fachausdrücken.

Laut dem deutschen Psychologen und Kommunikationswissenschaftler Friedemann Schulz von Thun ist der Sender einer Nachricht auch verantwortlich dafür, dass der Empfänger sie verstehen kann. Daraus folgt, dass seitens des medizinischen Fachpersonals eine Absicht zur wertschätzenden und patientenorientierten Kommunikation erkennbar sein sollte. Die Realität sieht häufig leider anders aus! Manchmal gibt es zwar die beste Absicht, patientenorientiert zu kommunizieren, ein Nebensatz macht aber dann das zunichte, was zuvor an positiver Kommunikation aufgebaut wurde. Ein Beispiel dazu aus meinem Erleben: Nach einer OP kam die Ärztin direkt nach dem Aufwachen zu mir (sehr löblich) und sagte, dass der Schnellschnitt o.k. sei. Ich freute mich darüber sehr! Beim Hinausgehen sagte sie dann noch nebenbei, man müsse jedoch die histologische Bewertung abwarten und dann sehe man weiter. Und weg war sie! Damit war die erste Aussage für mich, der Schnellschnitt sei o.k., als gute Botschaft relativiert und übrig blieb die Angst vor dem Ergebnis für vier lange Tage. Fachlich war die Aussage natürlich korrekt, aber sie hätte es auch anders sagen können, beispielsweise so: Der Schnellschnitt war o.k. und das freut mich erst einmal. Jetzt warten wir noch das endgültige histologische Ergebnis ab. Das bestätigt in den meisten Fällen den ersten Befund im Schnellschnitt.

Auch wenn immer noch das Risiko besteht, dass es ein anderes Ergebnis gibt, das Hauptaugenmerk liegt auf den guten Nachrichten und die Wartezeit verbringt man dann mit mehr Zuversicht. Auch hier kommt wieder der Nocebo-, bzw. der Placebo-Effekt zum Tragen. Wenn ich ein Glossar für ärztliche Behandlungsgespräche erstellen dürfte, dann wären da ganz sicher mehr „positive Wörter" enthalten, eine Prise mehr Menschlichkeit und vielleicht sogar Humor. Aussagen wie „Das freut mich ...", „Das ist ein gutes Zeichen ...", „Das sieht gut aus ...", „Es geht voran ...", „Toll, wie Sie das machen ...", „Schön, dass Sie so gut mitarbeiten ..." sind Hoffnungsanker und Seelenstreichler. Liebe Ärztinnen und Ärzte, falls Sie das lesen, denken Sie bitte bei den nächsten Patientinnen und Patienten dran!

Wie schaffe ich es, selbstbestimmt zu bleiben?

Sobald die Therapie beginnt, bekommst du eine Vielzahl von Terminen. In der Regel funktioniert das so, dass du in Kenntnis gesetzt wirst, wann du wo zu erscheinen hast. Damit übernimmt das Behandlungssystem das Ruder in deinem Leben und du musst planen, wie du die Termine mit deinem Leben koordinieren kannst. Das beginnt mit der Organisation von Kinderbetreuung, Fahrdiensten, Begleitdiensten der Angehörigen usw. In dem Buch „Die Krebsflüsterin"[15] von der Britin Sophie Sabbage schreibt die Autorin dazu: „[...] wie beim schnellen Fahren auf der Autobahn. Bevor man weiß, was geschieht, wird man von Scheinwerfern geblendet und kann nicht mehr sehen, was da auf einen zukommt. Plötzlich ist dein Kalender voller Behandlungstermine, Rezepte werden kommentarlos überreicht und Entscheidungen werden für dich getroffen, während du selbst immer noch versuchst, mit der Diagnose zurechtzukommen [...]".

Ein erster Schritt in eine selbstbestimmte Therapie ist, dass sich die Behandlungstermine bestmöglich nach deinem Leben richten und nicht umgekehrt. Dazu benötigt es eine Portion Mut gepaart mit einer Prise Egoismus. Aber wenn nicht jetzt, wann dann? Das heißt, dass die Termine besprochen und nicht angewiesen werden und darum kannst du höflich bitten. Schluss also mit Terminzetteln, die in die Hand gedrückt werden. Und noch ein Tipp – mache den Mund auf, wenn dir etwas suspekt vorkommt oder du nicht einverstanden bist.

Im unserem Gesundheitssystem ist die Überforderung des Personals an der Tagesordnung. Da geht schon mal was unter, wird fehlerhaft übermittelt und ganz vergessen. Das ist menschlich. Deswegen bleibe achtsam, notiere alles, was wann mit dir geschieht in deinem Therapietagebuch und behalte die Verantwortung für dich. Da wiederhole ich mich jetzt, ich weiß! Es sind die kleinen Dinge – Blutdruckmessung an der betroffenen Körperhälfte, doppelte Laborwertbestimmung, eine veränderte Lagerung bei einem bildgebenden Verfahren etc.

Ein Beispiel dazu aus eigener Erfahrung: Ich wurde in ein Krankenhaus geschickt, um ein MRT anfertigen zu lassen. Die Befundübermittlung sei erfolgt, wurde mir berichtet. Kurz vor dem Start fragte ich sicherheitshalber nach, ob es denn nicht störend wäre, dass ich einen Metallclip im zu untersuchenden Gebiet hätte. Die Mitarbeiterin sah mich entsetzt an und meinte, da müsse ich doch in ein anderes Gerät gelegt werden. Das hätte ihr niemand gesagt! Ein anderes Mal wurde ich so gelagert, dass die zu untersuchende Stelle sicher nicht auf den Bildern erschienen wäre. Das mögen Ausnahmen und Zufälle gewesen sein, aber ich kann mir vorstellen, dass fast alle Betroffenen von solchen Erfahrungen berichten können. Also Augen und Mund auf!

Wie entgehe ich den „Krebs-Geschichten" anderer?

Ein typisches Beispiel für „schlechte Idee – gut gemeint": Familie, Freunde, Bekannte und Zufallsbegegnungen wollen dich in bester Absicht aufmuntern und erzählen Krankheits- und Genesungsgeschichten anderer. Die Geschichten anderer sind die Geschichten der anderen und nicht deine! Also müssen sie dir nicht als Orientierung oder richtungsweisend dienen. Im besten Fall sind sie ermutigend, aber leider sind sie meistens genau das Gegenteil. Wir hören, was anderen passiert ist, und fürchten, dass es auch bei uns eintritt. Das sind Elefantenfüße auf Hoffnungspflänzchen! Und diese Elefantenfüße sorgen meistens auch noch dafür, dass die darauffolgende Nacht noch unruhiger wird, als sie es vielleicht sowieso-schon ist. Öl auf den Motor des Gedankenkarussells.

Was hilft da? Mutig „NEIN" sagen! Schon beim Ansatz von „… der Freund des Schwiegervaters …" sofort den Redefluss unterbrechen und sagen, dass du keine Geschichten hören willst. Das ist zwar gegen jede gute Erziehung und bringt Irritationen, aber es ist gelebter Selbstschutz.

Wie gehe ich mit den Reaktionen in meinem Umfeld um?

Gleich vorweg – es gibt nicht die ideale Reaktion von anderen oder die ideale Umgangsweise. Die kennen wir selbst meistens nicht. An einem Tag wollen wir uns verkriechen und niemanden sehen, am nächsten Tag brauchen wir Unterhaltung und warten auf Menschen, die uns ermutigen oder ablenken. Unser Umfeld möchte helfen, kann aber leider keine Gedanken lesen. Daher ist es hilfreich zu kommunizieren, was du wann möchtest und was wann nicht. Besuch gerne, aber nicht täglich und nur mit Vorankündigung. Telefonate gerne, aber nicht den ganzen Tag. Ansprechen im Supermarkt gerne, besser als gemieden zu werden. Einladung zum Essen gerne, aber bitte das, was ich essen kann.

Vielleicht schreibst du eine Liste mit dem, was für dich hilfreich ist und mit dem, was dir nicht nützt und übergibst diese Liste deiner Familie zum Weitergeben oder direkt an deine Freunde. Ich habe diese Idee von der oben genannten Autorin, Sophie Sabbage, übernommen und wünschte, ich wäre selbst draufgekommen. Das hätte mir so manch unerfüllte Erwartung erspart, die mir das Gefühl gab, vergessen worden zu sein. Oder auch den Ärger über Menschen, die mir offensichtlich aus dem Weg gingen, weil sie nicht wussten, was in der jeweiligen Situation richtig oder falsch war. Umso mehr erfreuten mich die kleinen Gesten, die Whatsapp-Nachrichten und Blumen von Menschen, von denen ich es gar nicht erwartete. Erstaunlicherweise berichteten mir genau diese Menschen, wie viel Mut sie dafür hätten aufbringen müssen, um sich bei mir zu melden. Das sollte uns Erkrankte sensibilisieren. Unser Umfeld ist häufig schlicht überfordert und entscheidet sich aus diesem Nichtwissen eher für Distanz als für Nähe.

Dennoch zeigt sich in dieser Lebensphase, was wahrhaftige Freunde sind und wer dann doch eher nur das spaßige Leben mit uns teilen wollte. Auch wenn es erst einmal weh tut, manchmal ist es auch befreiend, sich von Menschen zu verabschieden. Es gibt für alles eine Zeit und manchmal ist es eben Zeit, eine Freundschaft zu beenden. Wenn du das im Frieden mit dir und ohne Groll machst, wird dadurch auch Platz für neue Menschen in deinem Leben frei.

Abschließend noch eine wichtige Sache zum Thema Kommunikation: Suche dir Vertraute zum Reden, es müssen jedoch nicht immer die nächsten Angehörigen sein. Sie sind oft mit der ganzen Situation überfordert, was allerdings in dieser Zeit häufig übersehen wird, da sich die ganze Aufmerksamkeit auf die erkrankte Person richtet. Daher schaue mit offenen Augen und Ohren in deinen Freundeskreis, wer sich am besten dafür eignet oder suche dir professionelle Unterstützung. Dafür gibt es Beratungsstellen, Geistliche und therapeutisches Fachpersonal mit unterschiedlichen Schwerpunkten. In den meisten Fällen gibt es einen Anspruch auf begleitende Therapie, die deine Ärztin oder dein Arzt verordnen kann. Es ist sehr entlastend, sich mal bei jemandem, der das beruflich macht und dafür bezahlt wird, „gehen zu lassen". Wenn du beschließt, alles mit dir selbst ausmachen zu wollen, wählst du sicher den schwereren Weg. Darüber hinaus kann eine therapeutische Behandlung den Partner oder die Partnerin entlasten, da sie in ihrer Mit-Betroffenheit keine emotionale Neutralität bieten können.

- „Gehört ist nicht verstanden und verstanden ist nicht einverstanden ..."
- Fordere eine verständliche Kommunikation ein.
- Bitte deine Ärztin oder deinen Arzt auch mal etwas Positives zu sagen.
- Achtung vor der Nocebo-Kommunikation – wir erleben, was wir erwarten.
- Organisiere deine Behandlungstermine nach deinem Leben und nicht umgekehrt.
- Bleibe selbstbestimmt und nimm das Ruder in die Hand.
- Bleibe achtsam, was mit dir gemacht wird und notiere alles in deinem Therapietagebuch, denn irren ist menschlich und kommt auch in der besten Klinik vor.
- Schütze dich vor den Krankheitsgeschichten anderer – setze sofort ein Stopp, wenn jemand unaufgefordert anfängt zu erzählen.
- Kommuniziere mit deinem Umfeld über deine Erkrankung und verzeihe ihnen ihre Unsicherheit.
- Schreibe eine Liste mit „hilfreich" und „nicht hilfreich" und übergib sie deinem Umfeld.
- Suche dir Menschen zum Reden, es müssen nicht immer die nächsten Angehörigen sein.

5.
Fitness in der Therapie – Bewegung statt Sofa

„Wer rastet, der rostet."

Diese alte Weisheit gilt auch bei Krebs. Natürlich nur, wenn keine medizinisch begründeten Hinderungsgründe bestehen. Das heißt, jedes Training sollte ärztlich abgeklärt werden. Denn welche und wieviel Bewegung für dich gut ist, hängt von deiner körperlichen Verfassung ab!

In den letzten Jahren wurde in sehr vielen Studien untersucht, welche Wirkung Sport bei Krebs hat. Die Datenlage dazu ist eindeutig. Sport senkt messbar die Nebenwirkungen von Chemo- und Strahlentherapie. Zudem steigert sich die Leistungsfähigkeit und das stärkt auch das Selbstbewusstsein und damit einhergehend die Lebensqualität. Es wurde auch nachgewiesen, dass Sport das Rückfallrisiko senken kann.[16] Je nach Tumorart um bis zu 50 Prozent. Besonders gut erforscht ist dies für Brust-, Darm- und Prostatakrebs. Eine Studie aus Kanada aus dem Jahr 2017 zeigt, dass bei an Brustkrebs erkrankten Frauen die Intensität der sportlichen Aktivität die Überlebensrate beeinflusst. Die MARIE- und MARIEplus-Studien[17] aus Deutschland kommen zu ähnlichen Ergebnissen. Auch die Deutsche Krebsgesellschaft hat Empfehlungen und Literaturhinweise auf der Internetseite dazu veröffentlicht[18] und die Deutsche Krebshilfe hat ein Projekt „Bewegung gegen Krebs" gemeinsam mit dem Deutschen Olympischen Sportbund, der Deutschen Sporthochschule Köln und dem Deutschen Behindertensportverband gestart[19]. Auf den jeweiligen

Internetseiten findest du viele hilfreiche Informationen zum Thema.

Neben den Vorteilen hinsichtlich des reduzierten Rückfallrisikos ist der wesentliche Nutzen das Verhindern oder Behandeln des Fatigue-Syndroms. Fatigue ist eine krebsbedingte Müdigkeit, die 70 bis 90 Prozent aller Erkrankten betrifft und die auch nach abgeschlossener Therapie anhalten kann. Es handelt sich hier nicht um eine Müdigkeit, die du durch Schlaf oder Ruhe beseitigen kannst. Es ist eher eine körperliche, psychische und mentale Erschöpfung, die von jedem ganz unterschiedlich wahrgenommen wird. In schweren Fällen sind sogar Zähneputzen, Kochen, Telefonieren oder andere Alltagstätigkeiten kaum mehr möglich. Auch hier haben oben genannte Studien nachgewiesen, dass angepasstes Training begleitend zur Therapie sinnvoll ist. Klingt alles gut, sinnvoll und einleuchtend – wenn da nicht der innere Schweinehund wäre! Wer schon vor der Diagnose sportlich war, hat eher ein Schweinehündchen, wer noch nie Sport getrieben hat, dessen Schweinehund gleicht einem Elefanten. Und dennoch, die Vorteile überwiegen deutlich und somit gibt's nur eine Chance – runter vom Sofa!

Ein ganz einfaches Mittel, das dazu noch sehr wenig kostet, ist ein einfacher Schrittzähler. Manche besitzen Uhren, die diese Funktion beinhalten. Du nimmst dir ausgehend von deinem körperlichen Fitnesszustand eine feste Anzahl von Schritten vor, die du jeden Tag laufen willst. Da ich mich bereits vor der Diagnose gerne bewegte, hatte ich mir 10.000 Schritte pro Tag vorgenommen, das sind ungefähr acht bis neun Kilometer! Mein Hund war mein größter Fan, der sich jeden Tag über ungewohnt lange Spaziergänge freute, die ich entweder mit oder ohne Nordic-Walking-Stöcke unternahm. Wer keinen Hund hat, hat bestimmt Freunde, Nachbarn oder Familienangehörige, die gerne mitgehen, oder dir diesen „Liebesdienst" als Unterstützung erweisen. Frage nach – Mund auf!

Natürlich gab es auch bei mir Tage, da hatte ich keine Lust, das Wetter war schlecht, ich fühlte mich nicht gut und manchmal habe ich die volle Anzahl auch nicht geschafft. Dennoch bin ich von August bis Februar insgesamt 1.300 Kilometer gelaufen, das ist so weit wie von Sylt nach Oberstdorf und zurück nach Frankfurt. Besonders direkt nach der Chemotherapie hatte ich geradezu einen Drang zu laufen. Langsamer als sonst, kurzatmiger als sonst, aber ich fühlte mich danach immer besser als vorher. Zudem besuchte ich einen Yogakurs und informierte die Kursleiterin über meinen Zustand. Die Kombination aus Achtsamkeit, Meditation und moderaten Yogaübungen tat mir ganz ausgesprochen gut. Außerdem gab es mir ein Stück Normalität in einer ganz „normalen" Übungsgruppe zu trainieren. Dadurch verlor ich auch weniger Muskelmasse, was sich auf das Gesamtbefinden und die Körperwahrnehmung positiv auswirkte. Über die positive Wirkung von Yoga wurde auch in der Ärzte Zeitung online[20] im Mai 2019 berichtet. Neueste Erkenntnisse zeigen, dass nicht nur Ausdauersport hilfreich ist, sondern mit moderatem Muskeltraining ergänzt werden sollte.

Wer in der Gegend eine „Smovey-Gruppe" hat, sollte sich auch das auf jeden Fall einmal anschauen. Smoveys[21] sind die „albernen" grünen halbrunden Plastikschläuche mit Metallkugeln im Inneren, die beim Laufen und Bewegen der Smoveys hin und her geschleudert werden. Damit wird eine Vibration erzeugt, die die Muskeln stärkt. Du findest im Netz auch einige Videos zu Trainingsoptionen, von gemütlich bis extrem anstrengend.

Sport hilft auf jeden Fall gegen die „kleinen Zipperlein" wie z. B. schwere Beine, Müdigkeit, Antriebslosigkeit, Völlegefühl oder Verstopfung, um nur einige zu nennen. Laufe deinen Befindlichkeiten einfach davon!

- Ärztlichen Rat einholen, was geht und was nicht.
- Runter vom Sofa, auch wenn's erst einmal schwerfällt!
- Schrittzähler besorgen.
- Schrittzahl mit sich selbst vereinbaren und ggf. im Laufe der Zeit steigern.
- Wenn du glaubst, heute geht's nicht – dann den Schweinehund überwinden.
- Freunde suchen, die mitmachen.
- Falls möglich, Yoga oder Ähnliches ausprobieren.
- Moderates Krafttraining mit oder ohne Hilfsmittel.
- Laufe deinen „Zipperlein" davon.
- Eventuell Smoveys ausprobieren.

6.
Ergänzende Behandlung –
die Natur hilft mit

Bevor ich loslege – jede Patientin, jeder Patient sucht sich zu Beginn die Behandlungsmethode, die am besten zu ihr oder ihm passt. Die einen entscheiden sich ausschließlich für Schulmedizin, die anderen für Naturheilkunde, andere für noch unkonventionellere Methoden. Ich erwähnte bereits in den ersten Kapiteln, dass diese Entscheidung nach reiflicher Überlegung und Abwägung getroffen und dann dem eigenen Weg mit größter Überzeugung gefolgt werden sollte.

Ich hatte mich für die Integrative Onkologie entschieden und das zuvor erwähnte Buch „Gemeinsam gegen Krebs: Naturheilkunde und Onkologie – Zwei Ärzte für eine menschliche Medizin" wurde sozusagen meine „Bibel". Es gibt inzwischen einige Kliniken in Deutschland, die nach diesem Konzept behandeln. Das Revolutionäre daran ist die veränderte Sichtweise auf die Therapie. In der Integrativen Onkologie gibt es eine Allianz zwischen naturwissenschaftlicher Hochleistungsmedizin und Naturmedizin sowie ein partnerschaftliches Verhältnis zwischen behandelnder und behandelter Person. Letzteres habe ich ausführlich im Kapitel Kommunikation beschrieben. Die Betroffenen sollten im Mittelpunkt des Tuns stehen und aktiv an der Behandlung mitwirken können. Dadurch wird Hilflosigkeit und Resignation in Verantwortung und Mitwirkung gewandelt – zum Wohle der Eigenverantwortlichkeit.

In dieser Behandlungsstrategie gehen klassische Therapien wie Operation, Chemo- und Strahlentherapie Hand in Hand mit Mind-Body-Medizin, Naturheilverfahren, Ernährung Sport und Spiritualität. Du kennst davon einige Themen schon aus den vorhergehenden Kapiteln. Wenn du von einer Onkologin oder einem Onkologen behandelt wirst, die dem nicht offen gegenüberstehen, wird es von deinem Verhandlungs- und Überzeugungsgeschick abhängen, ob du eine ergänzende Therapie parallel starten kannst. Ich bin völlig überzeugt, dass der begleitende Einsatz von Naturmedizin auch während der Therapie hilfreich sein kann und nicht ausschließlich auf die Zeit nach der Therapie verschoben werden sollte. An dieser Stelle möchte ich aber eindrücklich davor warnen, eine Selbst-medikation zu starten. Naturmedizin hört sich zwar natürlich an, hat jedoch immense Heilwirkungen und gleichermaßen kann sie für die klassische Therapie störende bis zerstörende Auswirkungen haben. Daher – bitte keine Pillen oder Säfte aus der Apotheke oder dem Naturshop kaufen oder schenken las-sen, weil sie irgendjemandem geholfen haben. Du kannst mit Baldrian, Ginseng, Soja, Grüntee, Echinacea, Grapefruitsaft etc. die Chemotherapie negativ beeinflussen. Wende dich also auf jeden Fall an eine erfahrene naturheilkundliche Fachkraft, die sich auch mit der klassischen Medizin auskennt und auf Krebsbehandlungen spezialisiert ist. Kostenfreie ärztliche Be-ratung gibt es telefonisch oder persönlich bei der Gesellschaft für Biologische Krebsabwehr. Es lohnt sich auch, deren Home-page zu besuchen. Dort findest du viele fundierte Informatio-nen zur begleitenden naturheilkundlichen Behandlung von Nebenwirkungen.

Im Folgenden beschreibe ich eine subjektive Auswahl von Möglichkeiten, die mir empfohlen wurden und die ohne schädliche Einflüsse auf die Therapie durchgeführt werden können. Sie dienen einzig der Unterstützung des Körpers, starke Medikamente, Strahlen und Begleiterscheinungen bes-ser zu verkraften. Wende dich am besten vor der Durchfüh-rung an deine naturheilkundliche Begleitung.

Regulieren des Säure-Basen-Haushalts

Um den Säure-Basen-Haushalt positiv zu beeinflussen, gibt es mehrere Möglichkeiten. Dazu zählen „basische Mittel" wie zum Beispiel Basenpulver oder Basentabletten sowie Basenbäder, Baseneinläufe oder homöopathische Mittel wie etwa Schüssler Salze. Ich habe meine Anregungen dazu von René Gräber[22] übernommen, der unter anderem den Ratgeber „Die biologische Entsäuerungstherapie. Krank durch Übersäuerung"[23] veröffentlicht hat.

Für mich waren die Basenbäder zusätzlich eine wunderbare Quelle der Erholung. Die heilende Wirkung von Bädern war schon in der Antike bekannt, als Thermalquellen zu medizinischen Zwecken genutzt wurden. Ich nutzte das Basensalz von P. Jentschura „Meine Base" und habe damit regelmäßig Fuß- und Wannenbäder durchgeführt. Die Anleitung findest du auf der Homepage von P. Jentschura[24] und auch ausführlich in der Veröffentlichung von René Gräber. In meiner Ernährung habe ich überwiegend basenbildende Nahrungsmittel gegessen. Zucker, Weißmehl, Alkohol und Fleisch sind nur einige Lebensmittel, die vermieden oder reduziert werden sollten. Mehr zur basischen Ernährung oder anderen empfohlenen Ernährungsformen (z.B. intermittierendes Fasten) findest du im Internet, in Büchern oder bei der Ernährungsberatung. Ein Klassiker unter den Ernährungsratgebern ist das Buch „Krebszellen mögen keine Himbeeren"[25]. Sehr ausführlich und schon mit Fachbuchcharakter, aber auch sehr informativ für alle, die es genauer wissen wollen.

Ausleitung und Entgiftung

Neben handelsüblichen Fertigteemischungen, die organfunktionsstärkend wirken, z.B. Leber-Galle-Tee, Nieren-Blasen-Tee oder Magen-Darm-Tee gibt es die Methode des Ölziehens[26], bei der ein Esslöffel gutes Bio-Öl in der Mundhöhle für etwa

20 Minuten „gekaut" und dann ausgespuckt wird. Das Ölziehen sollte nicht bei einer Strahlentherapie im Kopf-Hals-Bereich durchgeführt werden. Die genaue Anleitung und wichtige Informationen dazu findest du im Internet.

Weitere Präparate zur Aktivierung der Ausscheidungsorgane solltest du nur nach ärztlicher oder naturheilkundlicher Rücksprache einnehmen. Darüber hinaus findest du auf der Homepage der Gesellschaft für Biologische Krebsabwehr sehr viele Informationen, die im PDF-Format zum Download zur Verfügung stehen.

Mit Mikronährstoffen Mangelernährung vorbeugen

Eines der größten Probleme während der Chemotherapie ist die Mangelernährung in Bezug auf Mikronährstoffe. Die Mangelernährung wird durch verschiedene Faktoren begünstigt. Dazu zählen der hohe Verbrauch des Tumors selbst und die möglichen Nebenwirkungen der Chemotherapie. Der Ausgleich dieser Mängel durch eine breit gefächerte, möglichst natürliche Mikronährstoffkombination führt zu weniger Nebenwirkungen und einem subjektiv besseren Wohlgefühl. Von meiner Heilpraktikerin und Ärztin wurden mir daher Nahrungsergänzungen (Mikronährstoffpräparat, Vitamin D, Selen, Zink, Kurkuma) und diverse homöopathische Medikamente verordnet. Diese sollten jedoch nur nach Absprache individuell auf den eigenen Bedarf zugeschnitten eingenommen werden. Idealerweise sollte vor Beginn der Therapie eine Nährstoffanalyse im Labor erfolgen.

Leberwickel

Dieses uralte Hausmittel ist einfach anzuwenden und unterstützt die Leber bei ihrer Entgiftungsarbeit. Am sinnvollsten ist es, wenn du dir den Leberwickel nach dem Mittagessen oder vor dem Schlafengehen machst. Du brauchst eine Stunde Zeit, einen heiß getränkten Waschlappen (optional mit Basensalz, Heilöl, Kanne-Brottrunk oder einem speziellen Leberöl[27]), ein Handtuch und eine Wärmflasche. Der getränkte Waschlappen kommt auf die Leber im rechten Oberbauch, darüber das trockene Handtuch und darauf die Wärmflasche. Achte unbedingt darauf, dass die Temperatur nicht zu heiß ist, da es sonst zu Verbrühungen kommen kann! Die genaue Anleitung und auch die Kontraindikationen findest du im Internet. Bei Problemen mit der Leber und Wasseransammlungen erst ärztlichen oder naturheilkundlichen Rat einholen.

Schleimhautschutz

Für den Schutz der Schleimhäute im Mund und Darm bietet sich Aloe-vera-Trinkgel an. Bitte achte auf eine gute, möglichst kontrollierte Qualität und einen hohen Anteil an Aloe vera. Alternativ dazu wurde mir auch die Einnahme von LC-Extrakt (Colibiogen®) empfohlen. Informationen dazu findest du auch auf der Webseite der Gesellschaft für Biologische Krebsabwehr. Lasse dich auch hierzu vor der Anwendung am besten naturheilkundlich beraten.

Aroma-Therapie

Ein persisches Sprichwort sagt: „Pflanzendüfte sind Musik für die Seele."

Die ätherischen Öle der Pflanzen gelangen über den Geruchssinn zum Gehirn und beeinflussen unser Befinden. Sie werden seit Jahrtausenden eingesetzt und nun auch verstärkt in der Therapie, beispielsweise auch im Evangelischen Krankenhaus in Wesel. Dort werden die Stationen und Untersuchungsräume beduftet. In anderen Krankenhäusern werden die Öle auch zum Massieren und Einreiben verwendet.

Auch für zuhause können wir die Pflanzenkraft nutzen. Grapefruitöl wirkt z.B. als Stimmungsaufheller, Lavendel fein[28] kann angstlösend und schlaffördernd wirken. Speziell ausgebildete Fachkräfte im Bereich der Aromatherapie und Naturheilkunde werden gemeinsam mit dir die richtigen Öle zusammenstellen. Bitte achte beim Kauf auf eine natürliche und möglichst kontrollierte (Bio-)Qualität.

- Integrative Onkologie vereint Hochleistungsmedizin und Naturheilkunde.
- Naturheilkunde muss in die Hand von ausgebildetem Fachpersonal.
- Achtung vor Eigenmedikation und freiverkäuflichen Mitteln, du kannst dir unter Umständen mehr schaden, als nutzen.
- Nutze das Beratungsangebot der Gesellschaft für Biologische Krebsabwehr.
- Informiere dich gut zu den Produkten, die du mit guter Absicht geschenkt bekommst.
- Achte auf deinen Säure-Basen-Haushalt und versorge dich mit „Gutem".
- Entgifte deinen Körper mit ärztlicher oder naturheilkundlicher Begleitung.
- Gönne dir regelmäßig Leberwickel (nicht bei Leberproblemen).
- Bei Nahrungsergänzung gilt **nicht** „viel hilft viel"! Lasse dich von ausgebildeten Fachpersonen beraten.

7.
„Alles-Scheiße-Tage" überstehen

Es gibt sie – diese „Alles-Scheiße-Tage"! Leider!

Und das Dümmste daran, sie sind nicht planbar, nicht abseh-bar und überfallen dich aus dem Nichts mitten in deinem normalen „Patientenalltag". In diesem Alltag bist du tapfer, bist du geduldig, hast du dich mit der Diagnose abgefunden und machst das Beste draus, bist aktiv, übernimmst Verant-wortung und, und, und ...

An den meisten Tagen geht alles gut, da meisterst du die Her-ausforderungen deiner Therapie und dann stehst du morgens auf und fühlst dich zurückkatapultiert an den Anfang. Zurück zu den quälenden Fragen „warum" und „warum ich". Du fühlst die Ungeduld, du sehnst dich nach Normalität. Du hast schlicht die Nase voll von allem. „Alles-Scheiße-Tage" kommen auch gerne nach Untersuchungen, wenn du auf das Ergebnis wartest. Das Warten zerrt an deinen Nerven, untergräbt deine Zuversicht und schleicht sich in der Dauerschleife in dein Be-wusstsein. Da reicht ein Satz, ein Lied, ein Geruch oder eine Info aus, um dein inneres Kartenhäuschen zum Einstürzen zu bringen. Diese Tage werfen lange Schatten auf deinen Mut und deine Zuversicht. Mir hat in solchen Situationen ein Satz geholfen, den ich wie ein Mantra immer wiederholte:

„Auch schlechte Tage haben nur 24 Stunden."

Ich habe versucht, den Tag einfach zu akzeptieren und mir eine Auszeit vom Durchhalten und vom Optimismus zu neh-men. Für mich war es dann hilfreich, raus in die Natur zu ge-hen und mich an etwas zu erfreuen. Dass es Frühling wird, die

Sonne scheint, eine schöne Wolkenformation, die Freude meines Hundes oder daran, dass ich überhaupt noch lebe.

Vielleicht brauchst du auch einfach Zeit, um total durchzuhängen, zu weinen und zu klagen. Manchmal habe ich dann mit Menschen telefoniert, die auch gleichzeitig durch denselben Prozess gingen, denn das sind tatsächlich die Einzigen, die dieses Gefühl nicht nur verstehen, sondern auch nachfühlen können. An diesen Tagen konnte niemand mich ermutigen, der Mut und das Durchhaltevermögen mussten sich aus mir selbst heraus entwickeln. Am besten du gehst an solchen Tagen deinen Angehörigen aus dem Weg. Denn manchmal wird man ungerecht und biestig. Deine Angehörigen haben auch viel zu ertragen, denn sie sitzen meistens mit im Boot. Sie trauern, haben Angst, tragen Mehrarbeit und wollen dabei noch stark für dich sein. Dein Leid potenziert sich in ihnen, weil sie nichts tun können, außer auszuhalten.

„Alles-Scheiße-Tage" gehen vorbei. Schenke Ihnen nicht zu viel Aufmerksamkeit. Lenke dich nach deinem Besuch an der „Klagemauer" mit den Dingen ab, die dir guttun. Gönne dir vielleicht eine Massage, einen Kinobesuch oder wahlweise einen schönen Film zuhause, höre eine schöne Meditations-CD, lies ein gutes Buch oder kaufe ein paar Schuhe – egal, Hauptsache du meisterst diesen Tag.

- Akzeptiere, dass es diese Tage gibt.
- Sei dir sicher, auch dieser Tag hat nur 24 Stunden.
- Schenke ihm nicht zu viel Aufmerksamkeit.
- Lenke dich ab und gönne dir was Schönes.
- Tausche dich dazu mit Menschen aus, die dich aus eigener Erfahrung verstehen.
- Verschone deine Angehörigen mit deinem Unmut – sie können nichts dafür.
- Gehe nach draußen in die Natur.

8.
Operation –
Vertrauen und Selbstfürsorge

Je nach Diagnose, Stadium und persönlicher Verfassung werden Operationen vor, während oder nach Therapien durchgeführt. Du hast also zwischen wenigen Tagen bis zu Monaten Zeit, dich auf die OP gedanklich vorzubereiten. Wenn es schnell gehen muss, bleibt dir nur wenig Zeit für die Recherche, von wem du dich operieren lassen möchtest und welche Klinik dafür am ehesten in Frage kommt. Ausschlaggebende Kriterien können die Spezialisierung der Klinik sein, die Entfernung zum Wohnort, die Fallzahlen, die Belegungskapazitäten, das Umfeld, das medizinische Fachpersonal oder eine Empfehlung.

Ich persönlich habe gute Erfahrungen mit einem kleineren Haus mit guter Expertise gemacht, andere haben in kleinen Häusern mit weniger OP-Routine bei anspruchsvollen Operationen eher schlechte Erfahrungen gemacht. Am Ende musst du ganz alleine abwägen und entscheiden. Auf jeden Fall ist es hilfreich, in Erfahrung zu bringen, wer dich operieren wird und wie viele Operationen dieser Arzt oder diese Ärztin bereits durchgeführt hat. Erfahrene OP-Teams und Kliniken sind zertifiziert. Wie bereits am Anfang des Buches beschrieben, lohnt es sich, verschiedene Informationsquellen anzuzapfen, eine zweite Meinung einzuholen und/oder Erfahrungen von ehemaligen Betroffenen einzuholen. Bei ihnen bekommst du Wissenswertes aus erster Hand. Wenngleich subjektive Erfahrungen nicht immer der objektiven Wahrheit entsprechen, bekommst du dennoch einen Eindruck aus Sicht der behandelten Person.

Wenn du dich entschieden hast, dann gehe über in den „Vertrauensmodus", dass du hier genau an der richtigen Stelle bist. Wir haben schon in früheren Kapiteln über den Zusammenhang von Körper und Geist gesprochen. Wenn dir etwas nicht gefällt, du dich unwohl fühlst oder deine Fragen nicht umfänglich beantwortet werden, dann traue dich nachzufragen. Auch wenn das medizinische Personal die Augenbrauen hochzieht oder sonstige Missfallensbekundungen erkennbar sind – es geht um dich und du hast das Recht auch mehrfach zu fragen. Werde nicht zum demütigen „Opferlamm", das nur darauf wartet, abgeführt zu werden.

Ein Beispiel: Es ist nicht nötig, dass du Stunden vor der Operation schon im OP-Hemd im Bett liegst. Frage, wann du drankommst und wann du bereit sein sollst. Manchmal ist es nur logistischen Anforderungen geschuldet, dass du zu zeitig vorbereitet wirst. Du kannst auch in Erfahrung bringen, wo du aufwachen wirst und wer dann bei dir sein wird. Auch wer für dich dann zur Verfügung stehen wird, um zu erfahren, wie die OP verlaufen ist und wann du deine Angehörigen oder Freunde sehen kannst. Alle Informationen können für dich wichtig sein, bevor du dich vertrauensvoll in die ärztlichen Hände begibst.

Spüre nach dem Eingriff in dich hinein und entscheide, ob, wen und wieviel Besuch du haben möchtest. Natürlich wollen deine Angehörigen und Freunde dich sehen, die Frage ist nur, ob du das auch willst. Gestatte dir, auch „NEIN" zu sagen und dir Ruhe zu gönnen. Liegst du im Mehrbettzimmer und die anderen Personen haben sehr viel Besuch, dann hast du auch die Möglichkeit, sie zu bitten – falls möglich – in den Besucherraum zu gehen. Lerne auf deine Bedürfnisse zu hören und sie zu kommunizieren.

Üblicherweise werden Visiten im Zimmer durchgeführt. Meistens wird in Richtung der assistierenden Gefolgschaft

„medizinisch" über dich, anstatt mit dir geredet und vielleicht verstehst du nur die Hälfte des Gesagten. Traue dich nachzufragen! Du bist nicht nur ein anonymer Fall mit Diagnose, sondern du bist ein Mensch mit Ängsten, Fragen und Wünschen. Leider wird das im routinierten, ärztlichen Arbeitsalltag oft übersehen.

Heutzutage erfolgt die Entlassung relativ rasch nach dem Eingriff. Frage frühzeitig, welche Verweildauer üblich ist, damit du Vorkehrungen treffen kannst, sofern du Unterstützung z. B. Pflegedienst oder Hilfsmittel brauchst.

- Wähle die Klinik und das medizinische Fachpersonal mit Bedacht aus.
- Stelle Kriterien für deine Wahl auf (Erfahrung, Empfehlung, Entfernung, ...).
- Traue dich zu fragen, was mit dir gemacht wird.
- Traue dich nochmals zu fragen, wenn du es nicht richtig verstanden hast.
- Sorge für dich, vor und nach der OP.
- Reguliere deinen Besucherstrom.
- Bitte um Rücksicht, wenn andere Personen in deinem Zimmer viel Besuch bekommen.
- Bleibe auch bei der Visite ein Mensch und nicht nur ein Fall mit Diagnose.

9.
Chemotherapie – kann schlimm werden, muss jedoch nicht

„Sie bekommen eine Chemotherapie" – das ist die Horrormeldung schlechthin. Sofort fällt einem alles ein, was man jemals darüber gehört hat, und sieht Menschen mit Glatze und grauen Gesichtern vor sich, die sich ständig übergeben müssen. Die erste Frage der allermeisten Betroffenen: „Muss das sein?" Wenn die Antwort „ja" ist, dann kommt ganz schnell die Verzweiflung.

Ganz am Anfang des Kapitels möchte ich erwähnen, es kann schlimm werden, muss es aber nicht! Da du inzwischen weißt, dass der Geist den Körper beeinflusst, solltest du dich zuerst um deine Gedanken kümmern. Hilfreich ist zum Beispiel der Gedanke „... warten wir es erstmal ab, ich muss mich ja nicht auf Vorrat aufregen!"

Die Chemo und ich – Persönliches

Ich kann mich gut an das Aufklärungsgespräch erinnern: Fachlich korrekt und ohne jegliche Empathie werde ich darüber in Kenntnis gesetzt, was auf mich zukommt. Ich bin zu erschlagen von den Informationen, um detailliert nachzufragen. Zudem soll ich sofort unterschreiben, denn das sei der Startschuss für die Planung und Organisation der Chemotherapie – ungefähr zehn Blätter Papier, die angefüllt waren mit vielen Informationen und auch möglichen Nebenwirkungen. Zusätzlich bekomme ich einen Medikamentenplan, der mehr Tabletten enthält, als ich bisher in meinem ganzen Leben gebraucht habe. Das trägt nicht zu meiner Beruhigung bei. Zum Schluss bekomme ich noch Rezepte in die Hand gedrückt, eins für die Medikamente und eins für die Perücke. Einfach so, obwohl das Thema Haarverlust sicher eines der emotional bedeutsamsten ist. Dann noch ungefragt den Termin für die erste Chemo. Ich stehe im Anschluss völlig fertig auf dem Gang, unfähig die Situation zu verarbeiten. Unglücklicherweise schaue ich mir danach noch die Abteilung an, wo die Chemos verabreicht werden und ich realisiere, dass ich sehr bald auch dort sitzen und Teil dieser Gemeinschaft sein werde. Alles in mir schreit: Nein, bitte nicht!

In den folgenden zwei Wochen mache ich mir das Leben nochmal so richtig schön, so gut es in dieser Situation eben möglich ist. Einen großen Teil meiner Energie verwende ich auf meine geistige Arbeit. Ich habe beschlossen, die Chemotherapie anzunehmen und das Beste draus zu machen. Dazu gehört auch in mir den Gedanken-Schalter umzudrehen von „... da läuft mit der Infusion Gift in mich, das schadet mir" zu „... da läuft mit der Infusion ein Medikament in mich und rettet mein Leben". Einfacher gesagt, als getan! Ich meditiere, lese Tröstliches und überzeuge mich selbst von der Notwendigkeit und Unausweichlichkeit.

Und dann ist es soweit. Der Gang dorthin fällt mir schwer. Ich bin überrascht von den freundlichen, anteilnehmenden Gesichtern, dem ausgesprochen netten Personal. Erst werden die anderen versorgt, dann bin ich dran. Ich bekomme das Prozedere erklärt und kann meine Fragen stellen. Dann holt der Pfleger die erste Infusion. Blutrot ist das Zeug – psychologisch grenzwertig finde ich – kann man das nicht anders färben? Ich mache ein Bild mit meinem Handy – so sieht Genesung aus, schreibe ich meinen engsten Freunden und meiner Familie. Die nächsten drei Stunden sind unspektakulär, mir geht's gut, ich spüre fast nichts. Und genauso bleibt das auch in allen Folgesitzungen. Auch bei den anderen im Raum erlebe ich nichts Anderes. Also, das ist schon mal nicht so schlimm, wie befürchtet. Die nächsten Tage sind auch ok. Es ist nicht gut und nicht schlecht, auf jeden Fall aushaltbar. Mir ist nicht übel, ich kann meine 10.000 Schritte laufen, nur schlafen kann ich nicht gut. Und das bleibt auch leider so.

Ich hatte mich vorab erkundigt, wie ich meinen Körper unterstützen kann und dieses Programm läuft ab sofort. Viel Bewegung, überwiegend basisches Essen, Entgiften, die Leber stärken mit Leberwickeln, Nahrungsergänzung. Dazu noch alle Medikamente, die mir verordnet wurden. All das zusammen und eine begleitende naturheilkundliche Infusionstherapie helfen mir, die Chemotherapie gut zu überstehen. Ich kenne allerdings auch Betroffene, die haben alles einfach stoisch ausgehalten, wenig nebenbei gemacht und die Sache auch überstanden. Und ich habe Menschen erlebt, die alle Nebenwirkungen mitgenommen haben, obwohl sie sich mit Naturheilkunde beschäftigt haben. Das soll dir die Entscheidung, ob du dich naturheilkundlich unterstützen lassen willst, nicht abnehmen, zeigt aber, dass es keine Allzweckwaffen gegen die Beschwerden gibt. Wenn du Informationen zur naturheilkundlichen Unterstützung suchst, findest du diese unter anderem auf der Internetseite der Gesellschaft für Biologische Krebsabwehr.

Eine kritische Situation gibt es bei vielen Chemos etwa zwei Wochen nach Beginn – die Haare fallen aus! Ich schaue mir das Fallen der Haare zwei Tage an, dann erlöst mich der Langhaarschneider meines Mannes vom Abschied in Raten. In zehn Minuten ist die Sache erledigt, jetzt bin ich auch äußerlich sichtbar dabei! Mit viel Kraft, Galgenhumor und etwas Schminke im Gesicht denke ich: „Haken dran – das Leben geht weiter!"

Ich erzähle dir das so ausführlich, damit du keine unnötige Angst aufbaust. Es ist zu schaffen! Nicht jeder Tag ist gut, aber mit jedem Tag kommst du dem Ende der Therapie ein bisschen näher. Studien belegen, dass Personen, die gegen die Chemo ankämpfen, mehr unter den Nebenwirkungen leiden. Du hast mit deinem Geist daher einen großen Anteil daran, wie es dir gehen wird. In der Dialektisch-Behavioralen Therapie (DBT) nach Marsha Linehan, bezeichnet man das als „radikale Akzeptanz". Radikale Akzeptanz ist das Gegenteil von Wollen. Es ist die Bereitschaft, darauf zu verzichten, sich gegen Schmerz und ungewollte Ereignisse real oder auch gedanklich aufzulehnen, sie zu bekämpfen oder auch nur irgendwie verändern zu wollen.

Wichtig ist, nicht den ganzen Tag in sich hineinzuhören und zu suchen, ob es irgendwo zwickt. Denke daran, auch im gesunden Zustand gibt es Tage, an denen mal etwas weh tut oder es ein diffuses Unwohlsein gibt. Gib daher nicht zu viel Energie in die Betrachtung deines körperlichen Zustands, sondern lerne zu akzeptieren, dass dein Zustand jetzt gerade so ist, wie er ist. Und lerne, darauf zu vertrauen, dass es in wenigen Stunden schon wieder ganz anders sein kann. Genau darum geht es in *Kapitel 4 Körper und Geist –wer ist der Chef?*, in dem ich auch über Spiritualität spreche. Die Erkrankung gibt dir die Chance deinen Geist zu entwickeln. Du wirst feststellen, dass du stärker werden kannst, als du jemals geglaubt hast. Das war schon immer in dir, du hast es vielleicht nur noch nie genutzt.

Der Port – das Ventil zu deinem Körper

Der Portkatheter oder kurz „Port" ist ein dauerhafter Zugang von außen in eine Vene. Ohne Port müssten die Ärztinnen und Ärzte für jede Infusion der Chemotherapie wieder eine Vene anstechen. Das tut zum einen weh und zum anderen könnte mit der Dauer der Behandlung das Risiko für Entzündungen steigen. Ein Port soll diese Probleme verhindern. Er wird in einer kleinen, meist ambulanten Operation unter der Haut eingepflanzt.

Der Port besteht aus einer kleinen Kammer mit einem Schlauch, der in eine herznahe Vene mündet. Über eine Spezialnadel erhält man Medikamente direkt in den Port. So muss nicht jedes Mal neu in eine Vene gestochen werden. Auch Blutentnahmen sind darüber möglich. Der Port wird häufig in der Nähe des rechten oder linken Schlüsselbeins implantiert. Ein Tipp für schönheitsbewusste Frauen: Bittet darum, den Schnitt so zu legen, dass die Narbe später unter dem BH- oder Bikini-Träger verläuft. Denn sobald du alles überstanden hast, werden auch solche Kleinigkeiten wieder wichtig!

Perücke – ja oder nein?

Die meisten Betroffenen haben zu diesem Zeitpunkt noch Haare. Der bevorstehende Verlust ist für jede Person anders. Die einen trauern ihrer vielleicht jahrelang gezüchteten Haarmähne schon jetzt hinterher und den anderen ist das völlig egal. Und genauso unterschiedlich emotional ist das Thema Perückenkauf. Weniger emotional, aber sehr praktisch sind jedoch meine zwei Empfehlungen: Erstens kümmere dich um eine Perücke, solange du noch deine Haare hast. Es ist für die Zweithaarspezialistinnen und -spezialisten dann einfacher eine gute und für dich passende Perücke zu finden. Dies dauert in der Regel ein bis zwei Wochen. Zweitens gelten Perücken sozialrechtlich als Hilfsmittel. Normalerweise übernehmen die gesetzlichen Krankenkassen während oder nach einer Chemotherapie die Kosten für eine Perücke oder sie zahlen zumindest einen Zuschuss. Erkundige dich nach Erhalt deines Rezeptes bei deiner Krankenkasse nach dem korrekten Vorgehen. Sonst bleibst du schlimmstenfalls auf einem Teil der Kosten selbst sitzen.

Für diejenigen, die sich gegen eine Perücke entscheiden, gibt es vielfältige Möglichkeiten der Kopfbedeckung. Da sind der eigenen Fantasie keine Grenzen gesetzt. Meine Erfahrung mit der Perücke war sehr gut. Ich hatte weder Probleme, noch hatte ich das Gefühl einen „Pfiffi" auf dem Kopf zu haben. Ganz im Gegenteil – es gab tatsächlich Menschen, die nichts von meiner Erkrankung wussten und mich aufgrund der Frisur nach der Adresse meiner Frisörin fragten! Für zuhause, für sportliche Aktivitäten und nachts hatte ich mir Mützen besorgt. Denn man mag es kaum glauben, wie sehr es am Kopf kalt werden kann.

Perücke ja oder nein, das ist auch eine Frage des Selbstbewusstseins! Klar ist, du fällst auf ohne Haare, zumindest als Frau. Die Blicke der Menschen, die manchmal neugierig und manchmal mitleidig sind, gilt es auszuhalten. Die Perücke schützt dich davor, du fällst weniger auf. Wie so oft in der Phase der Therapie bist du auch hier gefordert, deine eigenen Entscheidungen zu treffen und dann mutig umzusetzen.

Empfindungsstörungen entgegenwirken

Eine der gefürchteten Nebenwirkungen ist die sogenannte „Polyneuropathie". Das sind Empfindungsstörungen an Händen und Füßen, die unterschiedliche Beschwerden verursachen, u.a. Taubheitsgefühle. Diese können mithilfe von Physiotherapie, Ergotherapie und Elektrotherapie oder Bädern behandelt werden. Das Gewebe wird unterschiedlichen Reizen ausgesetzt, sodass sich die Nervenfunktion in den Gliedern erholen kann.

Mein Tipp für zuhause, den ich selbst erfolgreich durchgeführt habe: Stimulation mittels elektrischer Zahnbürste. Und so funktioniert das: Du brauchst eine elektrische Zahnbürste und einen ausrangierten Bürstenaufsatz. Bearbeite deine Finger und Zehen mit der eingeschalteten Zahnbürste. Die Intensität des Drucks wählst du nach deinem persönlichen Empfinden, es sollte nicht schmerzen oder die Haut verletzen! Ich habe mit dieser täglichen Vorgehensweise kaum Empfindungsstörungen bekommen. Es ist auf jeden Fall einen Versuch wert!

Intermittierendes Fasten während der Chemotherapie

Fasten ist in der letzten Zeit in Mode gekommen. Kaum eine Zeitung oder Zeitschrift, die nicht darüber berichtet. Immer mit dem Hinweis, dass Fasten nur etwas für Gesunde ist.

Ich hatte über eine Bekannte, die sich mit russischen Heilmethoden befasst, den Hinweis zu Fasten bei Chemotherapie bekommen. Ich fand allerdings keine gesicherten Informationen darüber und empfand es zum damaligen Zeitpunkt eher als zusätzliche Belastung. Mittlerweile ist der Kenntnisstand dazu schon viel weiter und es gibt erste veröffentlichte Studien. Die Ergebnisse dieser Studien sind jedoch noch nicht ausreichend gesichert, sodass derzeit das intermittierende Fasten nicht als Empfehlung in den Behandlungsleitlinien auftaucht. Allerdings wurde bereits in der Ärztezeitung (06/2018)[29] über die Studie an der Charité in Berlin berichtet. Mit dem heutigen Wissen würde ich nach ärztlicher Rücksprache das Kurzzeitfasten sicher in Betracht ziehen. Informationen dazu gibt es auch im Internet auf der Seite der Gesellschaft für Biologische Krebsabwehr[30].

Auf die Schönheit achten

Schon in „gesunden Tagen" macht es für meine Stimmung einen Unterschied, ob ich mein Spiegelbild mag oder nicht. In den Zeiten der Erkrankung lassen uns Aussagen wie „Du siehst aber auch wirklich schlecht aus!" noch ein bisschen elender fühlen. Die große Kunst ist, sich gerade an schlechten Tagen nicht noch zusätzlich „hängen" zu lassen. Manchmal reicht die Kraft zwar nur für die Grundhygiene, jedoch ist es hilfreich, sich morgens nach dem Aufstehen für den Tag „herzurichten". Der Aufwand dafür mag bei jeder und jedem unterschiedlich sein. Auch das ist ein weiterer Baustein zum Thema „Was kann ich alles Gutes für mich tun?".

Die DKMS-LIFE[31] bietet unter der Bezeichnung „look good feel better" kostenlose Kosmetikseminare für krebskranke Mädchen und Frauen an. Ziel ist, die Lebensqualität zu erhöhen und Lebensmut aufzubauen. Kompetente Kosmetikexpertinnen geben in einem rund zweistündigen Programm Tipps zur Gesichtspflege und zum Schminken. Sie zeigen den Teilnehmerinnen, wie einfach die äußerlichen Folgen der Therapie wie etwa Hautflecken oder Wimpernverlust kaschiert werden können. Informationen dazu gibt es in den Kliniken oder direkt auf der Homepage von DKMS-LIFE.

Einige Frauen und auch Männer gehen noch einen Schritt weiter und lassen sich vor der Therapie ein Permanent Make-up oder Microblading machen. Hierbei wird mittels feiner Nadeln ein Lidstrich auf das Ober- und Unterlid und/oder die Augenbrauen gezeichnet. Damit wird der Haarverlust der Wimpern bzw. der Augenbrauen kaschiert. Die Behandlung sollte nur in einem erfahrenen Institut durchgeführt werden und muss mindestens vier bis sechs Wochen vor der Chemotherapie erfolgen.

Fotoshooting mit Glatze

Im Rahmen meiner Recherchen im Internet stieß ich während meiner Therapie auf Veröffentlichungen zum Thema Fotoshooting während einer Krebserkrankung. Ich war fasziniert von den Fotos, die mich mehr ermutigten, als erschreckten. Der Mut, mit der eigenen Verletzlichkeit so offen umzugehen, beeindruckte mich. Vor allem aber berührte mich die Schönheit dieser glatzköpfigen Frauen, die ihre körperlichen Narben so selbstbewusst zeigten. Im Laufe der Zeit reifte in mir der Entschluss, auch Bilder von einem professionellen Fotografen machen zu lassen. Um einerseits meinen eigenen Mut herauszufordern und andererseits, um ein sichtbares Zeichen dafür zu setzen, dass ich mich dieser Krankheit aktiv stelle und gleichzeitig fest entschlossen bin, wieder vollkommen gesund zu werden.

Ich suchte mir einen Fotografen, dem ich vertraute und der sich von der Idee begeistert zeigte. Im Vorgespräch klärten wir alle Details und er gab mir Tipps, was ich mitbringen sollte. Eine Visagistin gab mir vor dem Fototermin den letzten „optischen Schliff" und dann startete das vierstündige, sehr spaßige Abenteuer. Auch heute noch schaue ich mir die Bilder gerne an.

Ein gewisses Maß an Normalität leben

Es ist wichtig, ein normales Leben zuzulassen, anstatt das Leben nur der Krankheit zu widmen.

Wie schon zuvor beschrieben, die Therapiezeit kann unangenehm werden, muss sie aber nicht! Je nachdem wie du dich fühlst und wie deine Werte sind, kannst du durchaus einen weitestgehend „normalen" Alltag leben. Die Routinen des Tages können deine Therapie in den Hintergrund treten lassen und dir damit ein Stück Lebensqualität geben. Was Gesunde sich kaum vorstellen können, ist für Menschen in Therapie häufig ein ersehnenswerter Zustand – die Normalität! Einfach nur Mensch sein, anstatt Patient oder Patientin. Sich an den Bedürfnissen des Alltags ausrichten, statt an Behandlungsterminen.

Während meiner Therapie habe ich zumindest in den ersten Monaten häufig gearbeitet. Ich kenne auch einige Ärztinnen, die während ihrer eigenen Therapie andere therapiert haben und sich dabei pudelwohl gefühlt haben. Natürlich geht das nicht immer und nicht bei jedem. Ich möchte dich jedenfalls ermutigen, dir – sofern möglich – eine Auszeit vom „Kranksein" zu nehmen.

- Akzeptiere, dass du dich für eine Chemo-therapie entschieden hast.
- Es kann schlimm werden – muss es aber nicht.
- Achte auf den Nocebo-Effekt – was du erwartest, kommt sicher.
- Lasse dich gut aufklären, aber von der Aufklärung nicht überfahren.
- Die Infusion soll dein Leben retten – heiße sie willkommen.
- Unterstütze deinen Körper, damit er diese Anstrengung gut meistern kann.
- Gönne dir Ruhe UND Bewegung
- Achte auf ein gewisses Maß an Normalität in deinem Leben.
- Suche keine Beschwerden, denke daran, du hattest vorher auch welche.
- Nutze deine Geistesenergie und lenke deine Gedanken.
- Deine elektrische Zahnbürste – kleiner Helfer gegen Empfindungsstörungen.
- Schönsein auch während der Therapie streichelt die Seele.

10.
Strahlentherapie –
keine Angst vor dem Bunker

Vielleicht ist es der Gedanke an Hiroshima, Tschernobyl oder an das jüngst zerstörte und verstrahlte Atomkraftwerk in Japan, der diesen Teil der Therapie so unbeliebt macht. Vielleicht denken wir auch hier sofort an Menschen, die aufgrund einer unsichtbaren Gefahr ihre Gesundheit verloren haben. Verständlich, dass in dir dann die Frage auftaucht: Und genau das soll mich retten? Allein der Gang zur Vorbesprechung in den „Bunker" kann schon Ängste auslösen. In den meisten Fällen liegt die Strahlenabteilung unter der Erde, mit langen Gängen und suspekt aussehenden Gerätschaften. Auch hier bekommst du schnell mit: ich bin nur eine(r) von vielen. Manchmal triffst du auch Menschen, die dir im Laufe deiner Behandlung schon an anderer Stelle begegnet sind und es entsteht sofort so etwas wie Solidarität. Eine Erfahrung, die du übrigens unter „Gewinn durch die Erkrankung" verbuchen kannst. Du begegnest Menschen, du lernst sie kennen und euch hält ein besonderes Band zusammen, das nur durch eine gemeinsame Erfahrung erzeugt werden kann. Niemand versteht dich so wie jemand, der das alles auch selbst erlebt. Diese Menschen können im wahrsten Sinne dein Befinden nachfühlen. Alle anderen können nur versuchen, sich das vorzustellen, und dazwischen liegt ein himmelweiter Unterschied.

Zurück zu den Strahlen. Im Aufklärungsgespräch erfährst du alles zum Ablauf, den Risiken, den möglichen Nebenwirkungen. Du kannst deine Fragen stellen, sofern du bei der Masse an Informationen gepaart mit einer gehörigen Portion Respekt dazu noch fähig bist. Auch hier ist es hilfreich, eine vertraute Person mitzunehmen. Dann hast du die Möglichkeit im Nachgang das Gehörte nochmals mit deiner Begleitperson zu besprechen. Dadurch relativiert sich deine mögliche Angst. Gleich im Anschluss werden die Termine vereinbart. Die meisten Patientinnen und Patienten gehen mehrfach bis täglich zur Strahlentherapie. Bei mir waren 33 Bestrahlungen täglich geplant, außer am Wochenende. Bei der Terminvereinbarung bekommst du deinen Termin zugeteilt. Das heißt, du unterwirfst dich wieder einmal der Zeiteinteilung anderer. Ich hatte mir vorher überlegt, wie ich diese tägliche Prozedur inklusive Fahrt, Wartezeit und Bestrahlung am besten in mein Leben integrieren kann. Auch um selbstbestimmt zu bleiben und mein „restliches Leben" so normal wie möglich leben zu können. Für mich war der späte Nachmittag die beste Zeit. So hatte ich den ganzen Tag genug Raum für andere Dinge und nach der Bestrahlung war der Tag dann vorbei. Manche wählten aufgrund ihrer Bedürfnisse den Vormittag, um zum Beispiel am Nachmittag für ihre Kinder da sein zu können. Andere orientierten sich an Mitfahrgelegenheiten. Wichtig ist, dass du deinen besten Rhythmus findest. Alles das trägt dazu bei, diese Zeit erträglich zu machen.

Ablauf und Nebenwirkungen

Die erste Bestrahlung erfolgt nach Voruntersuchungen, die das Strahlenfeld definieren. Die allermeisten bekommen Markierungen auf den Körper gezeichnet, manche benötigen Hilfsmittel wie etwa spezielle Masken oder Lagerungshilfen. Meine Erfahrung ist, dass Gelassenheit und Akzeptanz auch hier gute Weggefährten sind. Die Bestrahlung selbst dauert nur einige Sekunden oder Minuten. Alles ist höchst technisch, automatisiert und abgeschirmt. Dein Kontakt mit dem Personal beschränkt sich auf Begrüßung, Lagerung und Verabschiedung. Eine persönliche Ansprache ist kaum vorhanden. Je nach Größe der Klinik werden am Tag 100 bis 150 Patientinnen und Patienten behandelt, da ist man nur eine(r) davon!

Eine der gefürchteten Nebenwirkungen ist, dass die Haut unter der Bestrahlung leidet. Stelle dir einen Mega-Sonnenbrand vor, so ähnlich sieht das aus. Je nach Klinik bekommst du entweder die Information, überhaupt nichts auf die Haut aufzutragen oder es werden Pflegecremes verteilt, mit einer genauen Anleitung, wann sie benutzt werden dürfen. Wenn du in einer Klinik bestrahlt wirst, an der es eine regelmäßige Hautkontrolle gibt, bekommst du sofort Unterstützung je nach dem, was deine Haut braucht. In anderen Kliniken musst du dich selbst an das Personal wenden. Was lernen wir wieder daraus? Wer nicht fragt, ist verloren oder bleibt uninformiert! Informieren kannst du dich auch im Internet. Zum Beispiel auf dem Portal für Brustgesundheit findest du viele Informationen zur Bestrahlung[32,] Ich hatte mich vorher erkundigt und mir von der Heilpraktikerin ein „Bestrahlungsöl"[33] mischen lassen. Manche nutzen Aloe-vera-Gel, andere den verordneten Hautschutz. Das Allerwichtigste dabei ist, dass du einen großen Zeitabstand zwischen dem Eincremen und der Bestrahlung hast. Sonst wirken die Cremes wie „Brand-Verstärker". Wenn erste Hautrötungen auftreten, gibt es „Hausmittelchen", wie etwa Quark, die helfen zu kühlen und zu beruhigen.

Neben dem Kümmern um die Haut ist es, ebenso wie bei der Chemotherapie, wichtig, den Körper beim Ausleiten von Gift- und Abfallstoffen zu unterstützen. Hierzu gibt es viele Empfehlungen, die darüber hinaus auch die Nebenwirkungen verhindern oder lindern können. Informationen findest du auf der Homepage der Gesellschaft für Biologische Krebsabwehr oder im Buch „Gemeinsam gegen Krebs: Naturheilkunde und Onkologie – Zwei Ärzte für eine menschliche Medizin".

Hin und weg – Transport zur Behandlung

Ein wichtiges, weil durchaus nerviges Thema, ist der Transport. Die gesetzliche Krankenkasse bezahlt den verordneten Transport mit dem Taxi. Die Verordnung bekommst du in der Regel direkt nach der Besprechung, damit du mit einem Taxiunternehmen Kontakt aufnehmen kannst. Hier lohnt es sich, mehrere Unternehmen anzufragen und dich nach den freien Kapazitäten zu erkundigen. Einige optimieren, indem sie wie ein Sammeltaxi alle Patientinnen und Patienten in deiner Umgebung zusammen zur Bestrahlung fahren. Das kann zwar funktionieren und gesellig sein, heißt aber auch, dass dein Zeitumfang deutlich steigt und du immer warten musst, bis alle fertig sind. Hier kann ich dich nur ermutigen, dass du, wenn es nicht klappt, auch in Betracht ziehst, mittendrin das Taxiunternehmen zu wechseln. Dazu benötigst du nur eine neue Verordnung. Die geleisteten Fahrten werden abgerechnet und dann ist der Weg frei für einen neuen Anbieter. Du hast die Wahl, entweder ärgerst du dich wochenlang oder du sorgst für dich und nimmst ein bisschen Mehraufwand in Kauf.

Wer in Fußdistanz zur Klinik wohnt, kann auch auf den Taxitransport verzichten und zur Bestrahlung laufen. Bei guter Konstitution kannst du so gleich zwei Fliegen mit einer Klappe schlagen: Du bist unabhängig und tust was für deine Kondition!

Wie kann dir deine Gedankenkraft im Bunker helfen?

In fast allen Kapiteln habe ich von der geistigen Einstellung gesprochen. Auch bei der Strahlentherapie kann dir deine innere Haltung helfen. Im ersten Schritt geht es wieder um das Annehmen, um die Akzeptanz des IST-Zustandes. Quäle dich nicht jeden Tag aufs Neue mit dem Gedanken, ob du das gut findest oder nicht und mit den Fragen nach dem „Warum". Du hast dich entschieden, diese Therapie zu machen. Wenn du dich mittendrin anders entscheidest, dann handle, anstatt dich gedanklich im Kreis zu drehen. Visualisierungen mit der Simonton-Methode können immer wieder hilfreich sein.

Ich hatte mich entschieden, trotz aller Vorbehalte die Strahlentherapie erfolgreich ohne Schäden an Haut und Seele durchzustehen. Daher nutzte ich die Visualisierungsmethode während jeder Bestrahlung. Ich gehöre zu der Generation, die leidenschaftlich und staunend Raumschiff Enterprise gesehen hat. Aus dieser Zeit war mir nicht nur Mr. Spocks Anweisung „Beam mich hoch, Scotty!" bekannt, sondern auch diese großen Schaltpulte mit den Reglern und die Anweisung „Schilde hoch". Während ich mich in der Kabine auszog, fuhr ich in Gedanken am Schaltpult den Regler für die Schutzschilde hoch. Diese sollten meine Haut schützen und nur die „heilenden Strahlen" durchlassen. Während ich auf der Liege lag und das Gerät summte, hatte ich genau diesen Gedanken im Kopf. Beim Anziehen fuhr ich die Schutzschilde gedanklich wieder herunter. Nach fast sechs Wochen hatte ich mein Ziel erreicht und alles ohne Schäden an der Haut überstanden. Die Kombination aus Pflege, guten Gedanken für meinen Körper, meiner spirituellen Begleitung und der Zuversicht, dass alles gut wird, hat mich diese so sehr gefürchtete Zeit gut überstehen lassen.

- Akzeptiere, dass du dich für die Strahlentherapie entschieden hast.
- Informiere dich gut und frage nach, wenn du
  Unterstützung brauchst.
- Denke immer daran, dass nicht alle beschriebenen Nebenwirkungen auch eintreten.
- Bestimme den Zeitraum für die Bestrahlung,
  der DIR passt.
- Suche dir ein Taxiunternehmen, das dich
  zuverlässig und schnell fährt.
- Pflege deine bestrahlte Haut nach den
  neuesten Erkenntnissen.
- Unterstütze deinen Körper, damit er Gifte gut
  ausleiten kann und lasse dich dazu von
  erfahrenen Fachkräften beraten.
- Lerne die Kraft der Visualisierung kennen und
  nutze sie für die Bestrahlung.
- Gönne dir Ruhe UND Bewegung und entgehe
  somit der „Bestrahlungsmüdigkeit".

11.
Reha-Planung –
jetzt kommen die besseren Zeiten

Die gute Nachricht zuerst – du musst dich nicht selbst darum kümmern. In den allermeisten Fällen wird die Beratung für den richtigen Zeitpunkt, den Ort, die Klinik und auch die Antragstellung selbst vom Kliniksozialdienst übernommen (wenn du in einer Klinik behandelt wirst). Das Personal des Kliniksozialdienstes ist auf sozialrechtliche Themen spezialisiert. Darunter fallen auch die folgenden Themen: Antrag auf Schwerbehinderung, Hilfsmittel und Rückkehr an den Arbeitsplatz. In der Regel kommt jemand direkt auf dich zu, sobald das Ende der Behandlung naht. Natürlich kannst du dir auch vorher schon Rat und Informationen holen. Die Kosten der Reha werden von dem für dich zuständigen Versicherungsträger übernommen. Wenn du angestellt bist, ist das meistens die Rentenversicherung. Es kann aber auch die Krankenversicherung, eine Unfallversicherung oder der Bund sein. Um die Zuständigkeit der Kostenübernahme musst du dich nicht kümmern, das entscheiden die Träger intern. Meistens bleibt ein gesetzlich bestimmter Eigenanteil, sofern du nicht davon befreit bist. Das kannst du schon vorab klären und auch, ob dir Übergangsgeld zusteht. Das ist das Geld, das die Rentenversicherung anstelle von Krankengeld zahlt. Alle diese Fragen kannst du mit dem Sozialdienst in der Klinik, deiner Hausärztin bzw. deinem Hausarzt oder anderen Beratungsstellen besprechen. Die Reha oder auch Anschlussheilbehandlung genannt, ist keine Verpflichtung. Für manche ist ein privater Erholungsurlaub auch eine Alternative.

Auch ich war mir nicht sicher, ob eine Reha das Richtige für mich ist. Eigentlich wollte ich das Kapitel „Krebs" so schnell wie möglich abschließen. Da ich mich ziemlich fit fühlte, entfiel bei mir das Argument, dass die Reha meine Belastbarkeit für den Alltag fördern solle. Nach Austausch mit ehemaligen Patientinnen und Patienten entschied ich mich dann doch dafür. Was mir gleich die nächste interessante Erfahrung einbrachte: Während ein Berater sagte, ich müsste eine Klinik in einem bestimmten Radius um den Wohnort wählen, erfuhr ich von einem anderen, dass ich ein freies Wahlrecht hätte, das nicht an eine Begrenzung gebunden wäre. Alternativ könnte ich auch gar keine Wahl treffen, dann würde die Klinik vom Träger ausgesucht werden. Nach Erhalt des Bescheids gäbe es noch eine Widerspruchsmöglichkeit. Da wurde mir bewusst: Ich hatte also tatsächlich eine Wahl – entweder eigenbestimmt den Ort zu suchen oder auf die Auswahl anderer zu vertrauen. Ich wollte gerne ans Meer und hätte den Platz auch bekommen, wenn ich bereit gewesen wäre, drei Monate zu warten. Die Einrichtungen am Meer haben aufgrund ihrer Attraktivität lange Wartezeiten. Da ich nicht so lange in dem Zwischenstadium zwischen Erkrankung und Rückkehr in das normale Leben verweilen wollte, nahm ich dann doch das Angebot in einer wohnortnahen Einrichtung an. Dort startete ich direkt nach Abschluss der Behandlung.

Erholung oder Stress?

Beim Thema Reha scheiden sich die Geister – die einen erwarten einen Erholungsurlaub, die anderen fürchten sich vor der geballten Ladung an Erkrankten, andere wiederum möchten einfach nur wieder fit für den Alltag werden. Mit all diesen Erwartungen oder Befürchtungen im Gepäck, kommst du dann in deiner Reha-Einrichtung an und wirst in einem Aufnahmegespräch nach deinen Zielen gefragt. Hier kannst du dann wieder entscheiden – ein volles Programm oder eher ein ruhiges

„Aufpäppeln". Auch hier ist es wichtig, dass du weißt, was du willst. Wenn nicht, dann entscheidet das Personal für dich und gestaltet dir deinen Tagesplan. Dann kann es dir durchaus passieren, dass du entweder zu viele Therapieeinheiten hast und nicht zum Ausruhen kommst oder zu wenige und du dich unterfordert fühlst.

Du siehst, die Aussage „Mache den Mund auf und sei für dich selbst verantwortlich" zieht sich wie ein roter Faden durch die ganze Therapie. Und auch hier gilt, hast du dich für eine Reha entschieden, dann mache das Beste draus. Natürlich gibt es immer mal etwas, was dir vielleicht nicht so gut gefällt. Sei dir bei allem bewusst, du bist in einer Klinik und nicht im Hotel. Das betrifft die Zimmer, das Personal und das liebste „Meckerthema", das Essen. Wenn du nur auf das schaust, was dir nicht gefällt, dann entgehen dir die schönen und wertvollen Dinge und Momente. Das nette Wort des Therapeuten, den Spaß beim gemeinsamen Sport, die liebenswerten Menschen an deinem Tisch, die Ausflüge, die abendlichen Vergnügungen, um nur einige zu nennen. Freue dich an dem, was dich weiterbringt, was dich stärkt, dich motiviert, dich zum Nachdenken bringt und vielleicht auch, dass du die Chance witterst, dass diese Erkrankung eine wichtige Zäsur in deinem Leben ist. Nimm das Angebot zu Gesprächen (allein und in der Gruppe) wahr – du gehst immer mindestens mit einem neuen Gedanken aus der Stunde raus.

Bei allem, was dir eher schadet als nützt, was dich überfordert, was dich belastet, traue dich für dich selbst zu sorgen. Du musst gar nichts! Du darfst „NEIN" sagen, einen Termin absagen, einzelgängerisch sein und Gemeinschaft meiden, Besuch ablehnen, zusätzliche ärztliche Termine fordern usw. Diese Krankheit gibt dir die Möglichkeit zu hinterfragen, was du wirklich willst. Das ist das Gute im Schlechten. Ich habe von allem Gebrauch gemacht: Mehr oder weniger von Therapien gewollt, Egoismus gelebt, im Tanzcafé mit anderen gefeiert, bin allein gewandert, habe gelacht und geweint, habe für mich gesorgt und wichtige Resümees gezogen. Bei aller Skepsis vorher bin ich dennoch motiviert, erholt und gestärkt wieder abgereist. Ich wünsche dir, dass du den für dich richtigen Ort findest und zufrieden nach Hause fährst.

Zurück in andere, bessere Zeiten

Zurück in bessere Zeiten hieß bei mir auch, dass nach der Reha der Zeitpunkt gekommen war, mich bei allen, die mich unterstützt hatten, zu bedanken. Die Idee, ein „Genesungsfest" zu veranstalten, war für mich genial, andere brachten mich mit ihren Bedenken wieder ins Grübeln. Was, wenn ich dann doch wieder erkranken würde? Dieser Einwand war übrigens der häufigste Stolperstein, der mir in den Weg gelegt wurde. „Bist du nicht zu optimistisch?" – diese Frage war wie ein Test, dem ich mich stellen musste.

Das Fest fand statt und ich bin heute dankbar, dass ich den Mut dazu hatte. Mit diesem Fest wollte ich auch ein Zeichen setzen, vor allem für mich selbst. Ich bin überzeugt, ich habe es geschafft! Ein weiteres Beispiel für den oft von mir beschriebenen Placebo-Effekt – also traut euch, feiert das Leben und diejenigen, die an eurer Seite waren!

- Lasse dich vom Sozialdienst oder anderen Einrichtungen beraten.
- Entscheide dich für deine Form der Erholung, alles ist möglich.
- Treffe deine Wahl für den Ort und die Zeit selbstbestimmt.
- Wenn du dich für eine Reha entscheidest, lasse dich darauf ein und sitze nicht nur die Zeit ab!
- Gestalte deinen Therapieplan während der Reha mit und finde die richtige Balance zwischen Action & Erholung für dich.
- Nutze die Gesprächsangebote – sie bringen dich weiter.
- Traue dich egoistisch zu sein oder zu werden – dein Wohl sollte dir am Herzen liegen.
- Rudel oder Einsamkeit – oder beides? Finde heraus, was dir wann guttut.
- Suche und finde die „Schätze", die diese Zeit dir bietet.
- Plane ein „Genesungsfest" zum Abschluss deiner Therapie.

12.
Zurück ins „normale" Leben im Anderssein und Umgang mit Schrecksekunden

Es ist nichts mehr, wie es vorher war! Therapie und Reha sind vorbei und du denkst, jetzt geht das Leben wieder im alten Trott weiter. Für die Menschen im Außen, deine Familie und deine Arbeitsstelle bist du jetzt wieder gesund oder zumindest „alltagsfähig". Du siehst vielleicht auch wieder aus wie früher, hast deine alten Gewohnheiten und Abläufe wieder aufgenommen. Und dennoch ist nichts mehr, wie es vorher war. Du hast dem Tod in die Augen gesehen und das verändert deine Welt. Im besten Fall nimmst du deine Erkrankung als Hinweis auf die eigene Endlichkeit und ziehst deine Schlüsse für ein lebenswertes Leben daraus.

In Alltagssituationen, wo Mitmenschen sich über Kleinigkeiten aufregen, wird es dir – zumindest in der ersten Zeit – relativ leichtfallen, über den Dingen zu stehen. Ich habe mich oft gefragt, ob ich mich früher auch über so einen „Kleinkram" aufgeregt habe. In einem Seminarraum habe ich ein Schild gefunden, auf dem ein sehr treffender Spruch stand: „Ohne Schlamm kein Lotos". Wie viel Wahrheit und Geisteskraft in diesen vier Wörtern steckt! Mit der Erfahrung von Krankheit verschiebt sich der Betrachtungsfokus hin zu den wirklich wichtigen Dingen im Leben: Freundschaft, Liebe, Zuverlässigkeit, einen Platz zum Leben haben, Verbundenheit, eine sinnstiftende Arbeit zu haben, Spiritualität und, und, und, …! Manchmal wurde/werde ich dann ungehalten, weil ich die Wichtigkeit von „Kleinkram" in den Gesprächen anderer nicht mehr verstehen kann. Aus dem Austausch mit anderen Betroffenen weiß ich, dass es vielen genauso geht. Hier hilft nur Nachsichtigkeit und Gelassenheit, denn nur so lassen sich weitere unnötige Konflikte verhindern.

Leider gibt es nicht nur diese „erhellenden Momente" der Erkenntnis, sondern auch die dunklen Momente der Angst. Denn was bleibt, ist die Angst vor Rezidiven, vor Verschlimmerung, vor Neuerkrankungen. Diese Angst bleibt für lange Zeit dein Weggefährte. Mal deutlich fühlbar, mal eher im Hintergrund, gerne nachts und vor Nachsorgeterminen. Das ist aus meiner Sicht die eigentliche Herausforderung nach Abschluss der Therapie. Während der Reha erzählte mir eine Therapeutin, dass die meisten Patientinnen und Patienten nach Abschluss der Therapie psychische Probleme bekämen. Das konnte ich mir zu diesem Zeitpunkt gar nicht vorstellen. Aber tatsächlich durfte ich feststellen, auch ich fühlte mich im Tun (Therapie) sicherer als im Warten. Denn die Nachsorge ist ausgerichtet auf das „Suchen". Die ärztlichen Termine dienen in der Regel der Suche nach Rezidiven. Wir richten unsere Aufmerksamkeit mal wieder auf das Negative. Auch hier ist wieder Zuversicht, Gedanken- und Impulskontrolle sowie Body-Mind-Arbeit gefragt.

In Kapitel 4 habe ich gefragt, wer das Sagen hat. Dein Körper oder dein Geist? Auch der Umgang mit der Angst lädt ein, den Geist zu kontrollieren, damit dein Körper nicht mit Schockstarre, Schweißausbrüchen, Schlaflosigkeit oder anderen Symptomen reagiert. Du kannst dir natürlich Sorgen auf Vorrat machen ganz nach dem Motto „was ist, wenn ...". Du könntest dir alle Horrorszenarien durchspielen und deinen Körper so richtig durcheinanderbringen (denke nochmal an die Zitrone und die Auswirkungen von Vorstellung auf deinen Körper). Du kannst aber auch versuchen, dich in Optimismus zu üben, in Vertrauen investieren und dir sicher sein, dass, wenn es doch schlimm kommen würde, du dann immer noch reagieren kannst. Wie immer, leichter gesagt als getan!

Alte Gewohnheiten in neuer Lebenssituation

Je länger die Therapie zurückliegt, desto mehr laufen wir Gefahr, ins alte Fahrwasser zu gelangen. Haben wir während der Therapie noch auf Ernährung und Bewegung geachtet, die Naturheilmedizin genutzt, schleift sich jetzt gerne der Schlendrian ein. Das ändert sich nur, wenn irgendetwas uns erinnert. Sei es eine Erkrankung im Familien- oder Freundeskreis, eine mahnende ärztliche Stimme, eine zweite Reha oder schlimmstenfalls eine Verdachtsdiagnose im Rahmen der Nachsorge. Diese Schrecksekunden bringen dich in Windeseile wieder voll in den Achtsamkeitsmodus. Da reicht schon eine gerunzelte Stirn beim Ultraschall oder der Betrachtung von Diagnostikbildern, eine unbedachte Äußerung von medizinischem Personal, ein Google-Treffer etc. Spätestens dann merkst du, wie dünn das Eis ist, auf dem du gehst.

Es gibt nicht die eine oder beste Lösung für diese Situationen. Wenn du gelernt hast, deine Gedanken zu kontrollieren, dann kannst du diese schwierigen Momente womöglich einfacher überstehen. Vielleicht gehörst du auch zu jenen, die nach abgeschlossener Therapie das Thema gänzlich ad acta legen können und den Nachsorgeuntersuchungen gelassen begegnen.

Ganz egal wie dein Therapieweg war, ist und sein wird – du hast dir die Erkrankung nicht ausgesucht und dennoch gehört sie zu dir. Du hast die Wahl, wie du die Zeit während und nach der Therapie nutzt, wie du sie für dich ganz persönlich bewertest. Ich wünsche dir für deinen Weg, dass du den Zugang zu allem findest, was dich unterstützt, so dass du gestärkt und kraftvoll aus dem ganzen Behandlungsprozess hervorgehen kannst.

- Es ist, wie es ist – nichts ist mehr, wie es früher war.
- Bleibe bei deinen Mitmenschen nachsichtig, auch wenn sie sich über „Kleinkram" aufregen.
- Lerne mit der Angst zu leben, aber vergesse das Leben nicht.
- Verhindere den Schlendrian und bleibe achtsam.
- Übe weiterhin die Methoden aus der Mind-Body-Medizin, sie können das Gedanken-karussell anhalten.
- Akzeptiere, dass es Schrecksekunden geben kann.
- Mache dir keine Sorgen auf Vorrat, bevor du zur Nachsorge gehst.
- Mache dir trotz allem bewusst, dein Leben ist lebenswert.

13.
Stimmen zum Buch von Betroffenen und Behandlenden

Prof. Dr. med. Annette Hasenburg, Unimedizin Mainz

Ein phantastisches Buch. Richtig klasse. Hilfreich, authentisch – auch für uns Ärzte.

Ein Buch, das die Höhen- und Tiefen einer Krebserkrankung in verständlicher Sprache sehr anschaulich beschreibt und viele wichtige Tipps vermittelt – für alle, die ihre Gesundung und ihr Leben aktiv gestalten wollen. Ein Buch, das die Dinge beim Namen nennt, das viel Optimismus schenkt und auch die Chancen aufzeigt, die man während einer Krebserkrankung nutzen kann. Man spürt in jedem Satz die persönliche Erfahrung und Betroffenheit der Autorin sowie ihre intensive und aktive Auseinandersetzung mit der eigenen Erkrankung, von der alle Leser profitieren können. Auch uns Ärzten wird ein differenzierter Spiegel vorgehalten. Danke dafür. Alles in allem ein Buch, von dem jede Betroffene, alle Mitbetroffenen und auch das medizinische Personal profitieren können.

Beata M.

Dieses Buch bringt Zeitersparnis, da durch hilfreiche und gute Links und Quellen weniger selbst recherchiert werden muss. Zudem ist es auch gut, weil man sich oft unsicher ist, welchen Quellen man trauen kann. Dieses Buch macht Mut zu kämpfen, gibt Kraft und zeigt, dass sich Kämpfen lohnt. Es erleichtert die Therapie, da es viele gute Beispiele gibt!

Ich finde es schade, dass es das Buch noch nicht gab, als ich erkrankt war.

Sandra R.

Das Buch ist wirklich sehr zutreffend, informativ und zudem leicht verständlich geschrieben.

Ein guter Wegweiser/Hilfestellung – für jeden Betroffenen und dessen Angehörige/Freunde absolut lesenswert!

Ich kann nur sagen: Genauso ist es!

Annette R.

Das Buch schenkt das Ur-Vertrauen, dass alles gut werden kann, wenn man daran glaubt. Es motiviert zu „aktivem Gesundwerden".

14.
Nachwort und Danksagung

Aufgrund vielfältiger Ermunterungen hatte ich mir bereits während meiner Therapie vorgenommen, dieses Buch zu schreiben. Ich hatte es mir allerdings einfacher vorgestellt! Einfacher, den richtigen Zeitpunkt zu finden. Einfacher, das Erlebte zu reflektieren. Einfacher, im normalen Alltag immer wieder die Oasen der Ruhe zu finden, um mich meinem Vorhaben zu widmen. Aber dann hat mich irgendwann der „Wort-Fluss" getragen und ich freue mich, wenn jetzt auch die letzte Hürde, die Veröffentlichung, genommen ist. An dieser Stelle bedanke ich mich zutiefst bei meiner Lektorin Johanna Leitner, die mir durch großen „Zufall" virtuell über den Weg lief. Mit ihrer Herzenstiefe und Klugheit hat sie mich noch einmal durch einen intensiven Reflexionsprozess geführt, der für die Vollendung notwendig war. Und auch bei Guido Neuland, der meine Idee des Leuchtturms grafisch umsetzte - „für nix" wie er zu sagen pflegt!

Ich danke allen von ganzem Herzen, die mir während der Zeit nach der Diagnose, der Behandlung und auch bei diversen anderen schwierigen Situationen beigestanden haben. Auch allen, die mir, wenn mein Mut mal Pause machte, mich an ihrem Teil der Zuversicht teilhaben ließen und mich damit in den mutlosen Tagen unterstützten.

Meinen Mitpatientinnen und Mitpatienten danke ich für die guten Gespräche, den Spaß, den wir auch hatten, und vor allem für die Herzensverbindungen, die entstanden sind und bis heute Bestand haben.

Den Ärztinnen und Ärzten und dem medizinischen Personal danke ich für die gute und professionelle Behandlung. Bei einigen möchte ich mich ganz besonders für das Menschsein im „weißen Kittel" bedanken. Wenn es Engel in der Onkologie gibt, dann wirkt einer in Fulda und heißt Siggi. Wer ihn kennt weiß, was ich damit meine.

Der größte Herzensdank gilt meiner ganzen Familie und einer Handvoll enger Freunde, insbesondere Claudia, Ilona und Frank. Ich habe erleben dürfen, was im Leben wirklich wichtig und tragend ist. Und spätestens jetzt weiß ich, wofür diese Zäsur in meinem Leben gut war!

15.
Literaturhinweise mit Buch- und Websiteempfehlungen

Literaturhinweise nach Nummern. Alle Links wurden zuletzt am 22.06.2020 aufgerufen.

[1] Die wingwave®-Methode dient zum Abbau von Stressfaktoren und zur Stärkung der mentalen Gesundheit. Dies geschieht durch das Erzeugen sogenannter „REM-Phasen" im Wachzustand (REM = Rapid Eye Movement), welche wir Menschen sonst nur im nächtlichen Traumschlaf durchlaufen. Dabei führt der Coach den Blick des Kunden mit schnellen Augenbewegungen horizontal hin und her. Mit einem Muskeltest werden vorher das genaue Thema und die Stressauslöser bestimmt, nachher wird die Wirksamkeit der Intervention überprüft. Mit Hilfe dieser gezielt eingesetzten links-rechts-Impulse werden Gehirnwellen und Verarbeitungsprozesse im „limbischen System" in Bewegung gesetzt. Stressende Gedanken, unangenehme Erinnerungen und blockierende Emotionen können dadurch bearbeitet und verändert werden. Mehr Informationen: https://wingwave.com

[2] Das „Essener Modell" setzt sich genauer mit der empathisch-interkulturellen Kommunikation in der Behandlung auseinander und wird auch bereits in mehreren Kliniken eingesetzt.

Website der KEM Evang. Kliniken Essen-Mitte: https://kem-med.com/kompetenz-in-kliniken/fachkliniken/klinik-fuer-naturheilkunde-integrative-medizin/

Pressemeldung: https://www.essen.de/meldungen/pressemeldung_1056338.de.html

[3] Informationen zur Sprechstunde für Integrative Medizin

https://www.unimedizin-mainz.de/frauenklinik/patientinnen/gynaekologie/integrative-medizin.html

[4] Der Krebsinformationsdienst des Deutschen Krebsforschungszentrums: www.krebsinformationsdienst.de

[5] Deutsche Krebsgesellschat e. V.: www.krebsgesellschaft.de

[6] Gesellschaft für Biologische Krebsabwehr e.V.: www.biokrebs.de

Auf der Webseite der Gesellschaft für Biologische Krebsabwehr e. V. finden sich zahlreiche nützliche Tipps und Informationen für ganzheitliche Therapiewege. Es gibt auch einen kostenfreien, telefonischen Beratungsdienst.

[7] Allgemeine Informationen zu Microsoft OneNote: https://de.wikipedia.org/wiki/Microsoft_OneNote

[8] Pia von Blanckenburg, Franziska Schuricht, Ute-Susann Albert et al.: Optimizing expectations to prevent side effects and enhance quality of life in breast cancer patients undergoing endocrine therapy: study protocol of a randomized controlled trial. In: BMC Cancer 13, 426 (2013). https://bmccancer.biomedcentral.com/articles/10.1186/1471-2407-13-426

[9] Infos zur Simonton-Methode: https://www.onkopedia.com/de/onkopedia/guidelines/simonton-methode/@@guideline/html/index.html

[10] Die Achtsamkeitsbasierte Stressreduktion (Mindfulness-Based Stress Reduction – MBSR) ist ein Programm zur Stressbewältigung, das vom Molekularbiologen Jon Kabat-Zinn in den späten 1970er Jahren in den USA entwickelt wurde. Entspannung wird hierbei durch die gezielte Lenkung der Aufmerksamkeit erreicht sowie durch spezielle Achtsamkeits- und Atemübungen.

[11] Rüdiger Dahlke & Thorwald Dethlefsen: *Krankheit als Weg. Deutung und Bedeutung der Krankheitsbilder*. München, dtv 2008

[12] Marie-Claire van der Bruggen: *Märchen vom Tod.* Esocentra 2009

[13] Das beschriebene Mantra gesungen – Soka Gakkai International (SGI): *Chanting Nam-myoho-renge-kyo.* 07.02.2013.

https://www.youtube.com/watch?v=BXPEkzV2Rq4&t=23s

Internationale buddhistische Gemeinschaft Soka Gakkai International (SGI): https://www.sgi.org

Deutsche buddhistische Gemeinschaft Soka Gakkai International-Deutschland (SGID): https://www.sgi-d.org

Video mit Erläuterung der buddhistischen Ausübung (Englisch mit deutschen Untertiteln): https://www.sgi-d.org/ausuebung/

Weitere Infos zu SGI: https://www.youtube.com/user/SGIVideosOnline

[14] Prof. Dr. med. Gustav Dobos und Prof. Dr. Sherko Kümmel: *Gemeinsam gegen Krebs. Naturheilkunde und Onkologie – Zwei Ärzte für eine menschliche Medizin.* München, Zabert Sandmann GmbH 2011

[15] Sophie Sabagge: *Die Krebsflüsterin.* München, Irisiana 2016

[16] Nationales Centrum für Tumorerkrankungen Heidelberg: *Sport, Bewegung und Krebs.* https://www.nct-heidelberg.de/fuer-patienten/aktuelles/details/neuauflage-der-broschuere-sport-bewegung-und-krebs.html

[17] MARIE-Studie: https://www.dkfz.de/de/epidemiologie-krebserkrankungen/download/MARIE_Studienbericht_2011.pdf

[18] Deutsche Krebsgesellschaft: *Sport bei Krebs: so wichtig wie ein Medikament.* www.krebsgesellschaft.de/onko-internetportal/basis-informationen-krebs/basis-informationen-krebs-allgemeine-informationen/sport-bei-krebs-so-wichtig-wie-.html

[19] Stiftung Deutsche Krebshilfe: *Bewegung gegen Krebs.* www.krebshilfe.de/informieren/ueber-krebs/ihr-krebsrisiko-senken/bewegung-und-krebs/bewegung-gegen-krebs/

[20] Ärzte Zeitung online – Internetportal der deutschen Ärztezeitung: https://www.aerztezeitung.de

[21] Fitnessgerät zum Trainieren der Arme: www.smovey.com

[22] Die Schwerpunkte von René Gräber liegen auf der Naturheilkunde und der Alternativmedizin. Er betreibt eine Naturheilpraxis in Preetz. Als Autor hat er mehrere allgemein verständliche Fachbücher verfasst, die zum Beispiel über seine Webseite bestellt werden können: https://www.rene-graeber-buecher.de

[23] René Gräber: *Die biologische Entsäuerungstherapie. Krank durch Übersäuerung.* https://www.renegraeber.de/biologische-entsaeuerung.html

[24] Meine Base von Jentschura International GmbH: www.p-jentschura.com/de/produkte/meinebase/

[25] Prof. Dr. med. Richard Béliveau, Dr. med. Denis Gingras: *Krebszellen mögen keine Himbeeren. Nahrungsmittel gegen Krebs. Das Immunsystem stärken und gezielt vorbeugen.* München, Goldmann Verlag 2010

[26] Informationen zum Ölziehen: http://www.oelziehen.net/

[27] Leberwickelöl von Heilpraktikerin Ines Rehberg: 4 Teile Rosmarin Verbenon, 2 Teile Thymian Thujanol, 1 Teil Melisse 30 %. Alle Teile mischen und in einem dunklen Fläschchen aufbewahren. Durchführung: Tropfen der Ölmischung in (fast) kochendes Wasser geben. Leberwickel nach Anweisung durchführen. Am besten in der Zeit von 13:00 bis 15:00 Uhr (laut TCM-Organuhr). Im Anschluss noch 30 Minuten ruhen.

Heilpraktikerin Ines Rehberg in Hünfeld: http://www.natur-heilpraxis-rehberg.de

[28] Bitte beachte, dass es verschiedene Lavendelöle gibt. In diesem Fall ist „Lavendel fein" zu verwenden.

[29] Peter Leiner: *Bei Brust- und Ovarialkrebs: Kurzzeitfasten macht Chemo wohl wirksamer und verträglicher.* 04.06.2018. https://www.aerztezeitung.de/medizin/krankhei-ten/krebs/mamma-karzinom/article/965053/brust-ovarial-krebs-kurzzeitfasten-macht-chemo-wohl-wirksamer-vertraeglicher.html

[30] Biologische Krebsabwehr e.V.: *Kurzzeitfasten bei Krebs.* https://www.biokrebs.de/infomaterial/adresslisten/klinik-liste/207/2083-kurzzeitfasten-bei-krebs

[31] Kosmetikseminare von DKMS LIFE: http://www.dkms-life.de/programme-seminare/kosmetik-seminar/

Film von DKMS LIFE: „look good feel better"
Das Kosmetikseminar von DKMS LIFE.
https://www.youtube.com/watch?time_conti-nue=10&v=AY_92HYT0aw

[32] Senolog.de – Ihr Portal zur Brustgesundheit: *Vorbeugung und Behandlung von akuten Hautreaktionen unter Strahlenthe-rapie nach Brustkrebsoperationen.* https://www.seno-log.de/vorbeugung-und-behandlung-von-akuten-hautreaktionen-unter-strahlentherapie-nach-brustkrebsope-rationen/

[33] Bestrahlungsöl von Heilpraktikerin Ines Rehberg: La-vendelöl fein und Niaouliöl zu gleichen Teilen mischen. In eine Sprühflasche füllen und die Haut vor und nach der Be-strahlung auf den eingezeichneten Feldern besprühen. Min-destens zwei Stunden vor und nach der Bestrahlung KEIN Öl auf die Haut geben – Verbrennungsgefahr!

Heilpraktikerin Ines Rehberg in Hünfeld: http://www.natur-heilpraxis-rehberg.de

Hilfreiche und seriöse Links findest du unter:

https://www.biokrebs.de/infomaterial/links

Beratungsadressen findest du unter:

https://www.krebsinformationsdienst.de/service/adressen/adressen-index.php

https://www.krebsgesellschaft.de/landeskrebsgesellschaften.html

Lesenswerte Bücher und Zeitschriften

Mamma Mia! Das Brustkrebsmagazin, Bezug unter:
www.mammamia-online.de

Mindstyle-Magazin Herzstück, Bezug unter: https://herzstueck-mag.de

David Servan-Schreiber: Das Antikrebs-Buch: *Was uns schützt: Vorbeugen und Nachsorgen mit natürlichen Mitteln*. München, Goldmann Verlag 2012

Fotoshooting mit Glatze –
eine Ermunterung zum Nachmachen

Mache dir immer wieder bewusst, dass deine Stärke in deiner Einstellung liegt. Du bestimmst, was du aus den Umständen machst.

Glaub an dich!